No mundo maior

Francisco Cândido Xavier

No mundo maior

Pelo Espírito
André Luiz

FEB

Copyright © 1947 *by*
FEDERAÇÃO ESPÍRITA BRASILEIRA – FEB

28ª edição – 17ª impressão – 5 mil exemplares – 7/2025

ISBN 978-85-7328-783-7

Todos os direitos reservados. Nenhuma parte desta publicação pode ser reproduzida, armazenada ou transmitida, total ou parcialmente, por quaisquer métodos ou processos, sem autorização do detentor do *copyright*.

FEDERAÇÃO ESPÍRITA BRASILEIRA – FEB
SGAN 603 – Conjunto F – Avenida L2 Norte
70830-106 – Brasília (DF) – Brasil
www.febeditora.com.br
editorial@febnet.org.br
+55 61 2101 6161

Pedidos de livros à FEB
Comercial
Tel.: (61) 2101 6161 – comercial@febnet.org.br

Adquirindo esta obra, você está colaborando com as ações de assistência e promoção social da FEB e com o Movimento Espírita na divulgação do Evangelho de Jesus à luz do Espiritismo.

Dados Internacionais de Catalogação na Publicação (CIP)
(Federação Espírita Brasileira – Biblioteca de Obras Raras)

L953m Luiz, André (Espírito)

No mundo maior / pelo Espírito André Luiz; [psicografado por] Francisco Cândido Xavier. – 28. ed. – 17. imp. – Brasília: FEB, 2025.

272 p.; 21 cm – (Coleção A vida no mundo espiritual; 5)

Inclui índice geral

ISBN 978-85-7328-783-7

1. Romance espírita. 2. Espiritismo. 3. Obras psicografadas. I. Xavier, Francisco Cândido, 1910–2002. II. Federação Espírita Brasileira. III. Título. IV. Coleção.

CDD 133.93
CDU 133.7
CDE 00.06.02

Sumário

Na jornada evolutiva 7
1   Entre dois planos 11
2   A preleção de Eusébio 23
3   A casa mental 37
4   Estudando o cérebro 49
5   O poder do amor 65
6   Amparo fraternal 79
7   Processo redentor 93
8   No santuário da alma 107
9   Mediunidade 121
10   Dolorosa perda 139
11   Sexo 153
12   Estranha enfermidade 167
13   Psicose afetiva 179
14   Medida salvadora 191
15   Apelo cristão 199
16   Alienados mentais 209
17   No limiar das cavernas 219

18 Velha afeição 229
19 Reaproximação 237
20 No Lar de Cipriana 247
Índice geral 256

Na jornada evolutiva

Dos quatro cantos da Terra diariamente partem viajores humanos, aos milhares, demandando o país da Morte. Vão-se de ilustres centros da cultura europeia, de tumultuárias cidades americanas, de velhos círculos asiáticos, de ásperos climas africanos. Procedem das metrópoles, das vilas, dos campos...

Raros viveram nos montes da sublimação, vinculados aos deveres nobilitantes. A maioria constitui-se de menores de espírito, em luta pela outorga de títulos que lhes exaltem a personalidade. Não chegaram a ser homens completos. Atravessaram o *mare magnum*[1] da Humanidade em contínua experimentação. Muita vez, acomodaram-se com os vícios de toda a sorte, demorando voluntariamente nos trilhos da insensatez. Apesar disso, porém, quase sempre se atribuíam a indébita condição de "eleitos da Providência", e, cristalizados em tal suposição, aplicavam a justiça ao próximo, sem se compenetrarem das próprias faltas, esperando um paraíso de graças para si e um inferno de intérmino tormento para os outros. Quando, perdidos nos intrincados

---

[1] N.E.: Em latim, *grande mar*. O autor usou o termo em sentido figurado com a ideia de imensidão, vastidão.

meandros do materialismo cego, fiavam, sem justificativa, que no túmulo se lhes encerraria a memória; e, se filiados a escolas religiosas, raros excetuados, contavam, levianos e inconsequentes, com privilégios que jamais nada fizeram por merecer.

Onde albergar a estranha e infinita caravana? Como designar a mesma estação de destino a viajantes de cultura, posição e bagagem tão diversas?

Perante a suprema Justiça, o malgache[2] e o inglês fruem dos mesmos direitos. Provavelmente, porém, estarão distanciados entre si, pela conduta individual, diante da Lei divina, que distingue, invariavelmente, a virtude e o crime, o trabalho e a ociosidade, a verdade e a simulação, a boa vontade e a indiferença. Da contínua peregrinação do sepulcro, participam, todavia, santos e malfeitores, homens diligentes e homens preguiçosos.

Como avaliar por bitola única recipientes heterogêneos? Considerando, porém, nossa origem comum, não somos todos filhos do mesmo Pai? E por que motivo fulminar com inapelável condenação os delinquentes, se o dicionário divino inscreve a letras de fogo as palavras "regeneração", "amor" e "misericórdia"? Determinaria o Senhor o cultivo compulsório da esperança entre as criaturas, ao passo que Ele mesmo, de sua parte, desesperaria? Glorificaria a boa vontade entre os homens, e conservar-se-ia no cárcere escuro da negação? O selvagem que haja eliminado os semelhantes, a flechadas, teria recebido no mundo as mesmas oportunidades de aprender que felicitam o europeu supercivilizado, que extermina o próximo à metralhadora? Estariam ambos preparados ao ingresso definitivo no paraíso de bem-aventurança infindável tão somente pelo batismo simbólico ou graças a tardio arrependimento no leito de morte?

---

[2] N.E.: Grafia francesa. Relativo à República Malgaxe (atual República Democrática de Madagascar) ou o que é seu natural ou habitante.

A lógica e o bom senso nem sempre se compadecem com argumentos teológicos imutáveis. A vida nunca interrompe atividades naturais, por imposição de dogmas estatuídos de artifício. E, se mera obra de arte humana, cujo termo é a bolorenta placidez dos museus, exige a paciência de anos para ser empreendida e realizada, que dizer da obra sublime do aperfeiçoamento da alma, destinada a glórias imarcescíveis?

Vários companheiros de ideal estranham a cooperação de André Luiz, que nos tece informações sobre alguns setores das esferas mais próximas ao comum dos mortais.

Iludidos na teoria do menor esforço, inexistente nos círculos elevados, contavam com preeminência pessoal, sem nenhum testemunho de serviço e distantes do trabalho digno, em um céu de gozos contemplativos, exuberante de conforto melífico. Prefeririam a despreocupação das galerias, em beatitude permanente, onde a grandeza divina se limitaria a prodigiosos espetáculos, cujos números mais surpreendentes estariam a cargo dos Espíritos superiores, convertidos em jograis de vestidura brilhante.

A missão de André Luiz é, porém, a de revelar os tesouros de que somos herdeiros felizes na Eternidade, riquezas imperecíveis, em cuja posse jamais conseguiremos entrar sem a indispensável aquisição de sabedoria e de amor.

Para isso, não lidamos em milagrosos laboratórios de felicidade improvisada, onde se adquiram dotes de vil preço e ordinárias asas de cera. Somos filhos de Deus, em crescimento. Seja nos campos de forças condensadas, quais os da luta física, seja nas esferas e energias sutis, quais as do plano superior, os ascendentes que nos presidem os destinos são de ordem evolutiva, pura e simples, com indefectível justiça a seguir-nos de perto, à claridade gloriosa e compassiva do divino Amor.

A morte a ninguém propiciará passaporte gratuito para a ventura celeste. Nunca promoverá compulsoriamente homens a anjos. Cada criatura transporá essa aduana da eternidade com a exclusiva bagagem do que houver semeado, e aprenderá que a ordem e a hierarquia, a paz do trabalho edificante, são característicos imutáveis da Lei, em toda a parte.

Ninguém, depois do sepulcro, gozará de um descanso a que não tenha feito jus, porque "o Reino do Senhor não vem com aparências externas".

Os companheiros que compreendem, na experiência humana, a escada sublime, cujos degraus há que vencer a preço de suor, com o proveito das bênçãos celestiais, dentro da prática incessante do bem, não se surpreenderão com as narrativas do mensageiro interessado no servir por amor. Sabem eles que não teriam recebido o dom da vida para matar o tempo, nem a dádiva da fé para confundir os semelhantes, absorvidos, que se acham, na execução dos divinos desígnios. Todavia, aos crentes do favoritismo, presos à teia de velhas ilusões, ainda quando se apresentem com os mais respeitáveis títulos, as afirmativas do emissário fraternal provocarão descontentamento e perplexidade.

É natural; porém, cada lavrador respira o ar do campo que escolheu.

Para todos, contudo, exoramos a bênção do Eterno, tanto para eles, quanto para nós.

EMMANUEL
Pedro Leopoldo (MG), 25 de março de 1947.

1
Entre dois planos

1.1 Esplendia o luar, revestindo os ângulos da paisagem de intensa luz. Maravilhosos cúmulos a oeste, espraiados no horizonte, semelhavam-se a castelos de espuma láctea, perdidos no imenso azul; confinando com a amplidão, o quadro terrestre contrastava com o doce encantamento do alto, deixando entrever a vasta planície, recamada de arvoredo em pesado verde-escuro. Ao sul, caprichosos cirros reclinavam-se do Céu sobre a Terra, simbolizando adornos de gaze esvoaçante; evoquei, nesse momento, a juventude da humanidade encarnada, perguntando a mim mesmo se aquelas bandas alvas do firmamento não seriam faixas celestiais, a protegerem o repouso do educandário terrestre.

A solidão imponente do plenilúnio infundia-me quase terror pela melancolia de sua majestosa e indizível beleza.

A ideia de Deus envolvia-me o pensamento, arrancando-me notas de respeito e gratidão, que eu, entretanto, não chegava a emitir. Em plena casa da noite, rendia culto de amor ao Eterno, que lhe criara os fundamentos sublimes de silêncio e de paz, em refrigério das almas encarnadas na crosta da Terra.

O luminoso disco lunar irradiava, destarte, maravilhosas sugestões. Aos seus reflexos, iniciara-se a evolução terrena, e numerosas civilizações haviam modificado o curso das experiências humanas. Aquela mesma lâmpada suspensa clareara o caminho dos seres primitivos, conduzira os passos dos conquistadores, norteara a jornada dos santos. Testemunha impassível, observara a fundação de cidades suntuosas, acompanhando-lhes a prosperidade e a decadência; contemplara as incessantes renovações da geografia política do mundo; brilhara sobre a testa coroada dos príncipes e sobre o cajado de misérrimos pastores; presenciava, todos os dias, há longos milênios, o nascimento e a morte de milhões de seres. Sua augusta serenidade refletia a paz divina. Cá embaixo, desencarnados e encarnados, possuidores de relativa inteligência, podíamos proceder a experimentos, reparar estradas, contrair compromissos ou edificar virtudes, entre a esperança e a inquietação, aprendendo e recapitulando sempre; mas a Lua, solitária e alvinitente, trazia-nos a ideia da tranquilidade inexpugnável da divina Lei.

1.2

— A região do encontro está próxima.

A palavra do assistente Calderaro interrompeu-me a meditação.

O aviso fazia-me sentir o trabalho, a responsabilidade; lembrava, sobretudo, que não me encontrava só.

Não viajávamos, ambos, sem objetivo.

Em breves minutos, partilharíamos os trabalhos do instrutor Eusébio, abnegado paladino do amor cristão, em serviço de auxílio a companheiros necessitados.

Eusébio dedicara-se, de há muito, ao ministério do socorro espiritual, com vastíssimos créditos em nosso plano. Renunciara a posições de realce e adiara sublimes realizações, consagrando-se inteiramente aos famintos de luz. Superintendia prestigiosa organização de assistência em zona intermediária, atendendo a estudantes relativamente espiritualizados, pois ainda jungidos ao círculo carnal, e a discípulos recém-libertos do campo físico.

1.3   A enorme instituição, a que dedicava direção fulgurante, regurgitava de almas situadas entre as esferas inferiores e as superiores, gente com imensidão de problemas e de indagações de toda a espécie, a requerer-lhe paciência e sabedoria; entretanto, o indefesso missionário, malgrado o constante acúmulo de serviços complexos, encontrava tempo para descer semanalmente à crosta planetária, satisfazendo interesses imediatos de aprendizes que se candidatavam ao discipulado, sem recursos de elevação para vir ao encontro de seu verbo iluminado, na sede superior.

Não o conhecia pessoalmente. Calderaro, porém, recebia-lhe a orientação, de conformidade com o quadro hierárquico, e a ele se referira com o entusiasmo do subordinado que se liga ao chefe, guardando o amor acima da obediência.

O assistente, a seu turno, prestava serviço ativo na própria crosta da Terra, a atender, de modo direto, aos irmãos encarnados. Especializara-se na ciência do socorro espiritual, naquela que, entre os estudiosos do mundo, poderíamos chamar "psiquiatria iluminada", setor de realizações que há muito tempo me seduzia.

Dispondo de uma semana sem obrigações definidas, dentre os encargos que me diziam respeito, solicitei ingresso na turma de adestramento, da qual se fizera Calderaro eminente orientador, tendo-me ele aceito com a gentileza característica dos legítimos missionários do bem e propondo-se conduzir-me carinhosamente. Encontrava-se em oportunidade favorável aos meus propósitos de aprender, pois a equipe de preparação, que lhe recebia ensinamentos, excursionava em outra região, a labutar em atividades edificantes; à vista disso, poderia dispensar-me toda a atenção, auxiliando-me nos desejos.

Os casos que lhe eram atinentes, explicou-me solícito, **1.4** não apresentavam continuidade substancial: desdobravam-se; constituíam obra de improviso, obedeciam ao inopinado das ordens de serviço ou das situações. Noutros campos de ação, fazia-se imprescindível o roteiro, previstas as condições e as circunstâncias. No quadro de responsabilidades, porém, que lhe estavam afetas, diferiam as normas; importava acompanhar os problemas, quais imprevistas manifestações da própria vida. Em virtude de tais flutuações, não traçava, a rigor, programas quanto a particularidades. Executava os deveres que lhe competiam, onde, como e quando determinassem os desígnios superiores. O escopo fundamental da tarefa circunscrevia-se ao socorro imediato aos infelizes, evitando-se, quanto possível, a loucura, o suicídio e os extremos desastres morais. Para isso, o missionário atuante era compelido a conhecer profundamente o jogo das forças psíquicas, com acendrado devotamento ao bem do próximo. Calderaro, neste particular, não deixava perceber qualquer dúvida. A bondade espontânea lhe era indício da virtude, e a inquebrantável serenidade revelava-lhe a sabedoria.

Não lhe gozava o convívio desde muitos dias. Abraçara-o na véspera pela primeira vez; bastou, no entanto, um minuto de sintonia para que se estabelecesse entre nós sadia intimidade. Embora lhe reconhecesse a sobriedade verbal, desde o momento do nosso encontro permutávamos impressões como velhos amigos.

Seguindo-lhe, pois, os passos, afetuosamente, de alma edificada na fraternidade e na confiança, vi-me a reduzida distância de extenso parque, em plena natureza terrestre.

Em torno, árvores robustas, de copas farfalhantes, alinhavam-se, à maneira de sentinelas adrede postadas para velar-nos pelos serviços.

O vento passava cantando, em surdina; no recinto iluminado de claridades inacessíveis à faculdade receptiva do olhar humano, aglomeravam-se algumas centenas de companheiros, temporariamente afastados do corpo físico pela força liberativa do sono.

1.5   Amigos de nossa esfera atendiam-nos com desvelo, mostrando interesse afetivo, prazer de servir e santa paciência. Reparei que muitos se mantinham de pé; outros, contudo, se acomodavam nas protuberâncias do solo alcatifado de relva macia, em palestra grave e respeitosa.

Ambientando-me para aquela hora de extrema beleza espiritual, Calderaro avisou-me:

— Na reunião de hoje o instrutor Eusébio receberá estudantes do espiritualismo, em suas correntes diversas, que se candidatam aos serviços de vanguarda.

— Oh! — exclamei curioso. — Não se trata, pois, de assembleia, que agrupe indivíduos filiados indiscriminadamente às escolas da fé?

O assistente esclareceu de pronto:

— A medida não seria aconselhável no círculo de nossa especialidade. O instrutor afeiçoou-se ao apostolado de assistência a criaturas encarnadas e a recém-libertas da zona física, em particular, precisando aproveitar o tempo com as horas de preleção, para o máximo de aproveitamento. A heterogeneidade de princípios em centenas de indivíduos, cada qual com sua opinião, obrigaria a digressões difusas, acarretando condenáveis desperdícios de oportunidades.

Fixou a multidão demoradamente e acrescentou:

— Temos aqui, em cálculo aproximado, 1.200 pessoas. Deste número, oitenta por cento se constitui de aprendizes dos templos espiritualistas, em seus ramos diversos, ainda inaptos aos grandes voos do conhecimento, conquanto nutram fervorosas aspirações de colaboração no plano divino. São companheiros de elevado potencial de virtudes. Exemplificam a boa vontade, exercitam-se na iluminação interior por meio de esforço louvável; contudo, ainda não criaram o cerne da confiança para uso próprio.

Tremem ante as tempestades naturais do caminho e hesitam no círculo das provas necessárias ao enriquecimento da alma, exigindo de nós particular cuidado, pois que, pelos seus testemunhos de diligência na obra espiritualizante, são os futuros instrumentos para os serviços da frente. Apesar da claridade que lhes assinala as diretrizes, ainda padecem desarmonias e angústias, que lhes ameaçam o equilíbrio incipiente. Não lhes falece, porém, a assistência precisa. Instituições de restauração de forças abrem-lhes as portas acolhedoras em nossas esferas de ação. A libertação pelo sono é o recurso imediato de nossas manifestações de amparo fraterno. A princípio, recebem-nos a influência inconscientemente; em seguida, porém, fortalecem a mente devagarinho, gravando-nos o concurso na memória, apresentando ideias, alvitres, sugestões, pareceres e inspirações beneficentes e salvadoras, por intermédio de recordações imprecisas.

Fez breve pausa e concluiu: **1.6**

— Os demais são colaboradores de nosso plano em tarefa de auxílio.

A organização dos trabalhos era digna de sincera admiração. Estávamos num campo substancialmente terrestre. A atmosfera, impregnada de aromas que o vento espargia em torno, recordava-me o lar na Terra, contornado de seu jardim, em noite cálida.

Que teria eu realizado no mundo físico se recebesse, em outro tempo, aquela bendita oportunidade de iluminação? Aquele punhado de mortais, sob os raios da Lua, afigurou-se-me assembleia de privilegiados, favorecidos por celestes numes. Milhões de homens e mulheres a dormir em cidades próximas, algemados aos interesses imediatos e ansiando a permuta das mais vis sensações, nem de longe suspeitariam a existência daquela original aglomeração de candidatos à luz íntima, convocados à preparação intensiva para incursões mais longas e eficientes na Espiritualidade superior. Teriam a noção do sublime ensejo que lhes aprazia? Aproveitariam a dádiva com suficiente compreensão dos valores eternos? Marchariam desassombrados para a frente ou estacionariam ao contato dos primeiros óbices, no esforço iluminativo?

1.7 Calderaro percebeu-me as silenciosas perquirições e acrescentou:

— Nossa comunidade de trabalho se dedica, essencialmente, à manutenção do equilíbrio. Não ignoras que a modificação do plano mental das criaturas ninguém jamais a impõe: é fruto de tempo, de esforço, de evolução; e o edifício da sociedade humana, no atual momento do mundo, vem sendo abalado nos próprios alicerces, compelindo imenso número de pessoas a imprevistas renovações. Certo, não te surpreenderás se eu disser que, em face do surto da inteligência moderna, que embate na paralisia do sentimento, periclita a razão. O progresso material atordoa a alma do homem desatento. Grandes massas, há séculos, permanecem distanciadas da luz espiritual. A civilização puramente científica é um Saturno devorador, e a Humanidade de agora se defronta com implacáveis exigências de acelerado crescer mental. Daí o agravo de nossas obrigações no setor da assistência. As necessidades de preparação do espírito intensificam-se em ritmo assustador.

Nesse instante, alcançamos a multidão pacífica.

Meu interlocutor sorriu, frisando:

— O acaso não opera prodígios. Qualquer realização há que planejar, atacar, pôr a termo. Para que o homem físico se converta em homem espiritual, o milagre exige muita colaboração de nossa parte.

Lançou-me olhar significativo e concluiu:

— As asas sublimes da alma eterna não se expandem nos acanhados escaninhos de uma chocadeira. Há que trabalhar, brunir, sofrer.

Nesse momento, aproximou-se alguém dirigindo-nos a palavra: era um solícito companheiro, informando-nos que

Eusébio penetrara o recinto. Efetivamente, em saliência próxima, comparecia o missionário, ladeado por seis assessores, todos envoltos em halos de intensa luz.

O abnegado orientador não exibia os traços de venerável senectude com que em geral imaginamos os apóstolos das revelações divinas; mostrava-se-nos com a figura dos homens robustos, em plena madureza espiritual; os olhos escuros e tranquilos pareciam fontes de imenso poder magnético. Contemplava-nos sorridente, qual simples colega. **1.8**

A presença dele impusera, porém, respeitoso silêncio. Cessaram todas as conversações que aqui e ali se entretinham, e ante os fios de luz que os trabalhadores de nosso plano teciam em derredor, isolando-nos de qualquer assédio eventual das forças inferiores, apenas o vento calmo erguia a voz, sussurrando algo de belo e misterioso à folhagem.

Sentamo-nos todos, à escuta, enquanto o instrutor se mantinha de pé; observando-o, quase frente a frente, eu podia agora apreciar-lhe a figura majestosa, respirando segurança e beleza. Do rosto imperturbável, a bondade e a compreensão, a tolerância e a doçura irradiavam simpatia inexcedível. A túnica ampla, de tom verde-claro, emitia esmeraldinas cintilações. Aquela vigorosa personalidade infundia veneração e carinho, confiança e paz.

Consolidada a quietude no ambiente, elevou a destra para o Alto e orou com inflexão comovedora:

Senhor da Vida,
Abençoa-nos o propósito
De penetrar o caminho da luz!...

Somos teus filhos,
Ainda escravos de círculos restritos,
Mas a sede do Infinito

1.9 *Dilacera-nos os véus do ser.*
Herdeiros da imortalidade,
Buscamos-te as fontes eternas,
Esperando, confiantes, em tua misericórdia.

De nós mesmos, Senhor, nada podemos.
Sem ti, somos frondes decepadas
Que o fogo da experiência
Tortura ou transforma...

Unidos, no entanto, ao teu Amor,
Somos continuadores gloriosos
De tua criação interminável.

Somos alguns milhares
Neste campo terrestre;
E, antes de tudo,
Louvamos-te a grandeza
Que não nos oprime a pequenez...

Dilata-nos a percepção diante da vida,
Abre-nos os olhos
Enevoados pelo sono da ilusão,
Para que divisemos tua glória sem-fim!...
Desperta-nos docemente o ouvido,
A fim de percebermos o cântico
De tua sublime eternidade.
Abençoa as sementes de sabedoria
Que os teus mensageiros esparziram
No campo de nossas almas;
Fecunda-nos o solo interior,
Para que os divinos germens não pereçam.

Sabemos, Pai,
Que o suor do trabalho
E a lágrima da redenção
Constituem adubo generoso
À floração de nossas sementeiras;
Todavia,
Sem tua bênção,
O suor elanguesce
E a lágrima desespera...
Sem tua mão compassiva,
Os vermes das paixões
E as tempestades de nossos vícios
Podem arruinar-nos a lavoura incipiente...

Acorda-nos, Senhor da Vida,
Para a luz da oportunidade presente;
Fortalece-nos as mãos,
Para que os atritos da luta não as inutilizem;
Guia-nos os pés para o supremo bem;
Reveste-nos o coração
Com a tua serenidade paternal,
Robustecendo-nos a resistência!
Poderoso Senhor,
Ampara-nos a fragilidade,
Corrige-nos os erros,
Esclarece-nos a ignorância,
Acolhe-nos em teu amoroso regaço.

Cumpram-se, Pai amado,
Os teus desígnios soberanos,
Agora e sempre.
Assim seja.

1.11   Finda a comovente rogativa, o orientador baixou os olhos nevoados de pranto, e então vi, dominado de júbilo, que da incognoscível altura uma claridade diferente caía sobre nós, em jorros cristalinos.

    Partículas semelhantes a prata eterizada choviam no recinto, infiltrando-se nas raízes das árvores mais próximas, lá fora.

    Ignoto encantamento fizera-se em minha alma. Ao contato dos eflúvios divinos, reparei que minhas forças gradualmente serenavam, em receptividade maravilhosa. Em torno, pairavam as mesmas notas de alegria e de beleza, pois a calma e a ventura transpareciam de todos os rostos, voltados, extáticos, para o instrutor, em redor do qual se mostravam mais intensas as ondas de luz celeste.

    Sublime felicidade inundava-me todo o ser, mergulhara-me em indefinível banho de energias renovadoras.

    Meus olhos foram impotentes para conter as lágrimas felizes que as formosas cintilações me destilavam das fontes ocultas do espírito. E, antes que o nobre mentor retomasse a palavra, agradeci em silêncio a resposta do Céu, reconhecendo na prece, mais uma vez, não só a manifestação da reverência religiosa, senão também o recurso de acesso aos inesgotáveis mananciais do divino Poder.

2
A preleção de Eusébio

2.1 Ereto, incendido o tórax de suave luz, falou o instrutor, comovedoramente:

— Dirigimo-nos a vós, irmãos, que tendes, por enquanto, ensejo de aprender na bendita escola carnal.

"Tangidos pela necessidade, na sede de ciência ou na angústia do amor que transpõe abismos, vencestes pesadas fronteiras vibratórias, encontrando-vos na estaca zero do caminho diferente que se vos antolha. Enquanto vossa organização fisiológica repousa a distância, exercitando-se para a morte, vossas almas quase libertas partilham conosco a fraternidade e a esperança, adestrando faculdades e sentimentos para a verdadeira vida.

"Naturalmente, não podereis guardar plena recordação desta hora, retomando o envoltório carnal, em virtude da deficiência do cérebro, incapaz de suportar a carga de duas vidas simultâneas; a lembrança de nosso entendimento persistirá, contudo, no fundo de vosso ser, orientando-vos as tendências superiores para o terreno da elevação e abrindo-vos a porta intuitiva para que vos assista nosso pensamento fraternal."

O orador fez breve pausa, fixando-nos o olhar calmo e lúcido, e, sob a leve e incessante chuva de raios argênteos, continuou:

— Enfastiados das repetidas sensações no plano grosseiro da existência, intentais pisar outros domínios. Buscais a novidade, o conforto desconhecido, a solução de torturantes enigmas; todavia, não olvideis que a chama do próprio coração, convertido em santuário de claridade divina, é a única lâmpada capaz de iluminar o mistério espiritual, em nossa marcha pela senda redentora e evolutiva. Ao lado de cada homem e de cada mulher no mundo, permanece viva a vontade de Deus, relativamente aos deveres que lhes cumprem. Cada qual tem à sua frente o serviço que lhe compete, como cada dia traz consigo possibilidades especiais de realização no bem. O Universo enquadra-se na ordem absoluta. Aves livres em limitados céus, interferimos no plano divino, criando para nós prisões e liames, libertação e enriquecimento. Insta, pois, nos adaptemos ao equilíbrio divino, atendendo à função insulada que nos cabe, em plena colmeia da vida.

"Desde quando fazemos e desfazemos, terminamos e recomeçamos, empreendemos a viagem reparadora e regressamos, perplexos, para o reinício? Somos, no palco da crosta planetária, os mesmos atores do drama evolutivo. Cada milênio é ato breve; cada século, um cenário veloz. Utilizando corpos sagrados, perdemos, entretanto, quais despreocupadas crianças, entretidas apenas em jogos infantis, o ensejo santificante da existência; destarte, fazemo-nos réprobos das leis soberanas, que nos enredam aos escombros da morte, como náufragos piratas por muito tempo indignos do retorno às lides do mar. Enquanto milhões de almas desfrutam bons ensejos de emenda e reajustamento, de novo entregues ao esforço regenerativo nas cidades terrestres, milhões de outras deploram a própria derrota, perdidas no atro recesso da desilusão e do padecimento.

2.3 "Não nos reportamos aqui aos missionários heroicos que suportam as sangrentas feridas dos testemunhos angustiosos, por espírito de renúncia e de amor, de solidariedade e de sacrifício; são luzes provisoriamente apartadas da Luz divina e que voltam ao domicílio celeste, como o trabalhador fiel regressa ao lar, finda a cotidiana tarefa.

"Referimo-nos às bastas multidões de almas indecisas, presas da ingratidão e da dúvida, da fraqueza e da dissipação, almas formadas à luz da razão, mas escravizadas à tirania do instinto."

E num rasgo de humildade cristã, Eusébio continuou:

— Falamos de todos nós, viajores que extravagamos no deserto da própria negação; de nós, pássaros de asas partidas, que tentamos voar ao ninho da liberdade e da paz, e que, no entanto, ainda nos debatemos no chavascal dos prazeres de ínfima estofa. Por que não represar o curso das paixões corrosivas que nos flagelam o espírito? Por que não sofrear o ímpeto da animalidade, em que nos comprazemos, desde os primeiros laivos de raciocínio? Sempre o terrível dualismo da luz e das trevas, da compaixão e da perversidade, da inteligência e do impulso bestial. Estudamos a ciência da espiritualidade consoladora desde os primórdios da razão; todavia, desde as épocas mais remotas, consagramo-nos ao aviltamento e ao morticínio.

"Cantávamos hinos de louvor com Krishna, aprendendo o conceito da imortalidade da alma, à sombra das árvores augustas que aspiram aos cimos do Himalaia, e descíamos, logo depois, ao vale do Ganges, matando e destruindo para gozar e possuir. Soletrávamos o amor universal com Sidarta Gautama, e perseguíamos os semelhantes, em aliança com os guerreiros cingaleses e hindus. Fomos herdeiros da Sabedoria, nos tempos distantes da Esfinge, e, no entanto, da reverência aos mistérios da iniciação passávamos à hostilidade sanguissedenta, nas margens do Nilo. Acompanhando a Arca simbólica dos hebreus, reiteradas vezes líamos os mandamentos de Jeová, contidos nos rolos sagrados, e, desatentos, os esquecíamos, ao primeiro clangor de guerra aos filisteus. Chorávamos de comoção religiosa em Atenas, e assassinávamos nossos irmãos em Esparta. Admirávamos Pitágoras, o filósofo, e seguíamos Alexandre, o conquistador. Em Roma, conduzíamos oferendas valiosas aos deuses, nos maravilhosos santuários, exaltando a virtude, para desembainhar as armas, minutos depois, no átrio dos templos, disseminando a morte e entronizando o crime; escrevíamos formosas sentenças de respeito à vida, com Marco Aurélio, e ordenávamos a matança de pessoas limpas de culpa e úteis à sociedade. Com Jesus, o divino Crucificado, nossa atitude não tem sido diferente. Sobre os despojos dos mártires, imolados nos circos, vertemos rios de sangue em vindita cruel, armando fogueiras do sectarismo religioso. Suportamos administradores arbitrários e ignominiosos, de Nero a Diocleciano, porque tínhamos fome de poder, e quando Constantino nos abriu as portas da dominação política, convertemo-nos de servos aparentemente fiéis ao Evangelho em criminosos árbitros do mundo. Pouco a pouco esquecemos os cegos de Jericó, os paralíticos de Jerusalém, as crianças do Tiberíades, os pescadores de Cafarnaum, para afagar as testas coroadas dos triunfadores, embora soubéssemos que os vencedores da Terra não podem fugir à peregrinação ao sepulcro. Tornou-se a ideia do Reino de Deus fantasia de ingênuos, pois não largávamos o lado direito dos príncipes, sequiosos de fastígio mundano. Ainda hoje, decorridos quase vinte séculos sobre a cruz do Salvador, benzemos baionetas e canhões, metralhadoras e tanques de assalto, em nome do Pai magnânimo, que faz refulgir o sol da misericórdia sobre os justos e sobre os injustos.

2.5 "É por esta razão que nossos celeiros de luz permanecem vazios. O vendaval das paixões fulminantes de homens e de povos passa ululante, de um a outro polo, a semear maus presságios.

"Até quando seremos gênios demolidores e perversos? Em vez de servos leais do Senhor da Vida, temos sido soldados dos exércitos da ilusão, deixando à retaguarda milhões de túmulos, abertos sob aluviões de cinza e fumo. Debalde exortou-nos o Cristo a buscar as manifestações do Pai em nosso próprio íntimo. Cevamos e expandimos unicamente o egoísmo e a ambição, a vaidade e a fantasia na crosta planetária. Contraímos pesados débitos e escravizamo-nos aos tristes resultados de nossas obras, deixando-nos ficar, indefinidamente, na messe dos espinhos.

"Foi assim que atingimos a época moderna, em que a loucura se generaliza e a harmonia mental do homem está a pique de soçobro. De cérebro evolvido e coração imaturo, requintamo-nos, presentemente, na arte de esfacelar o progresso espiritual."

O excelso orientador fez à oração mais longo intervalo, durante o qual observei companheiros em torno. Homens e mulheres, segurando alguns fortemente as mãos uns dos outros, exibiam extrema palidez no semblante estarrecido. Alguns deles, por certo, compareciam ali pela primeira vez, como eu, dado o extático assombro que se lhes estampava no rosto.

Fixando na assembleia o olhar percuciente, o instrutor prosseguiu:

— Nos séculos pretéritos, as cidades florescentes do mundo desapareciam pelo massacre, ao gládio dos conquistadores sem entranhas, ou estacionavam sob a onda mortífera da peste desconhecida e não atacada. Hoje, as coletividades humanas ainda sofrem o assédio da espada homicida, e chuvas de bombas arremetem contra populações indefesas; no entanto, a febre amarela, a cólera e a varíola foram dominadas; a lepra,[3] a tuberculose e o câncer experimentam combate sem tréguas. Existe, porém, nova ameaça ao domicílio terrestre: o profundo desequilíbrio, a desarmonia generalizada, as moléstias da alma que se ingerem sutis, solapando-vos a estabilidade.

"Vossos caminhos não parecem percorridos por seres conscientes, mas semelham-se a estranhas veredas, ao longo das quais tripudiam duendes alucinados. Como fruto de eras sombrias, caracterizadas pela opressão e maldade recíprocas, em que temos vivido, odiando-nos uns aos outros, vemos a Terra convertida em campo de quase intérminas hostilidades. Homens e nações perseguem o mito do ouro fácil; criaturas sensíveis abandonam-se aos distúrbios das paixões; cérebros vigorosos perdem a visão interior, enceguecidos pelos enganos da personalidade e do autoritarismo. Empenhados em disputas intermináveis, em duelos formidandos de opinião, conduzidos por desvairadas ambições inferiores, os filhos da Terra abeiram-se de novo abismo, que o olhar conturbado não lhes deixa perceber. Esse hiante vórtice, meus irmãos, é o da alienação mental, que não nos desintegra só os patrimônios celulares da vida física, senão também nos atinge o tecido sutil da alma, invadindo-nos o cerne do corpo perispiritual. Quase todos os quadros da civilização moderna se acham comprometidos na estrutura fundamental. Precisamos, pois, mobilizar todas as forças ao nosso alcance, a serviço da causa humana, que é a nossa própria causa.

"O trabalho salvacionista não é exclusividade da religião: constitui ministério comum a todos, porque dia virá em que o homem há de reconhecer a divina presença em toda a parte. A realização que nos compete não se filia ao particularismo: é obra

---

[3] N.E.: Na época em que esta obra foi escrita, esse termo era comum, mas atualmente é considerado pejorativo e/ou preconceituoso. Hanseníase, morfeia, mal de Hansen ou mal de Lázaro é uma doença infecciosa causada pela bactéria *Mycobacterium leprae* (também conhecida como *bacilo de Hansen*) que afeta os nervos e a pele, podendo provocar danos severos.

genérica para a coletividade, esforço do servidor honesto e sincero, interessado no bem de todos.

2.7 "Se visitais a nossa companhia buscando orientação para o trabalho sublime do espírito, não vos esqueçais vossa luz própria. Não conteis com archotes alheios para a jornada. Em míseros planos de sofrimento regenerador, nas vizinhanças da carne, choram amargamente milhões de homens e de mulheres que abusaram do concurso dos bons, precipitando-se nas trevas ao perder no túmulo os olhos efêmeros com que apreciavam a paisagem da vida à luz do Sol. Displicentes e recalcitrantes, esquivaram-se a todas as oportunidades de acender a própria lâmpada. Aborreciam os atritos da luta, elegeram o gozo corporal como objetivo supremo de seus propósitos na Terra; e, quando a morte lhes cerrou as pálpebras saciadas, passaram a conhecer uma noite mais longa e mais densa, referta de angústias e de pavores."

Nesse momento, Eusébio interrompeu-se por mais de um minuto, como a recordar cenas comovedoras que as imagens de seu verbo evocavam, demonstrando certa vaguidade no olhar.

Notei a ansiedade com que a assembleia aguardava o retorno de sua palavra. Damas sensibilizadas ressumbravam forte impressão nas fisionomias transfiguradas, e todos nós, ante a exposição leal e comovente, nos mantínhamos quedos e aturdidos.

Decorridos longos segundos, o orador prosseguiu com inflexão enérgica e patriarcal:

— Procurais conosco a precisa orientação para os trabalhos que vos tangem presentemente na crosta da Terra. Seduzidos pela claridade da esfera superior, fascinados pelas primeiras noções do amor universal, desejais a graça da cooperação na sementeira do porvir. Reclamais asas para os surtos sublimes, tendes em mira coadjuvar no esforço de elevação.

"Indubitavelmente, a intenção não pode ser mais nobre; é, entretanto, indispensável considereis a vossa necessidade de integração no dever de cada dia. Impossível é progredir no século sem atender às obrigações da hora. Torna-se imprescindível, na atualidade, recompor as energias, reajustar as aspirações e santificar os desejos.

"Não basta crer na imortalidade da alma. Inadiável é a iluminação de nós mesmos, a fim de que sejamos claridade sublime. Não basta, para o arrojado cometimento da redenção, o simples reconhecimento da sobrevivência da alma e do intercâmbio entre os dois mundos. Os levianos e os maus, os ignorantes e os estultos podem corresponder-se igualmente a distância, de país a país. Antes de mais nada, importa elevar o coração, romper as muralhas que nos encerram na sombra, esquecer as ilusões da posse, dilacerar os véus espessos da vaidade, abster-se do letal licor do personalismo aviltante, para que os clarões do monte refuljam no fundo dos vales, a fim de que o sol eterno de Deus dissipe as transitórias trevas humanas.

"Vanguardeiros da fé viva, que o desejais ser doravante no mundo, não obstante os percalços que se nos defrontam, exige-se de vós a cabal demonstração de estardes certos da espiritualidade divina.

"O plano superior não se interessa pela incorporação de devotos famintos de um paraíso beatífico. Admitiríeis, porventura, vossa permanência na crosta planetária, sem finalidades específicas? Se a erva tenra deve produzir consoante objetivos superiores, que dizer da magnífica inteligência do homem encarnado? Que não há que esperar da razão iluminada pela fé! Receberíamos tão sagrados depósitos de conhecimento edificante para um sacrifício por nada? Teríamos o aljôfar de tais bênçãos para fortalecer o propósito egoístico de alcançar o Céu sem escalas preparatórias, sem atividades purificadoras?

"Nossa meta, meus amigos, não se compadece com o exclusivismo ególatra. A porta divina não se abre a espíritos que se não divinizaram pelo trabalho incessante de cooperação com o Pai altíssimo. E o solo do planeta, a que vos prendeis provisoriamente, representa o abençoado círculo de colaboração que o Senhor vos confia. Recolhei o orvalho celeste no escrínio do coração sedento de paz; contemplai as estrelas que nos acenam de longe, como sublimes ápices da divindade; todavia, não olvideis o campo de lutas presentes.

2.9 "O espiritualismo, nos tempos modernos, não pode restringir Deus entre as paredes de um templo da Terra, porque a nossa missão essencial é a de converter toda a Terra no templo augusto de Deus.

"Para a nossa vanguarda de obreiros decididos e valorosos passou a fase de experimentação fútil, de investigações desordenadas, de raciocínios periféricos. Vivemos a estruturação de sentimentos novos, argamassando as colunas do mundo vindouro, com a luz acesa em nosso campo íntimo. Natural é que os aprendizes recém-chegados experimentem, examinem, operem sondagens e evoquem teorias brilhantes, em que as hipóteses concorram ao lado da exibição personalista: compreensível e razoável. Toda escola caracteriza-se pelos diversos cursos, que lhe formam os quadros e as disciplinas. Não nos dirigimos aqui, porém, aos que ainda sonham na clausura do 'eu', enredados nos mil obstáculos da fantasia que lhes cristaliza as impressões. Falamos a vós outros, que sentis a sede de universalismo, anônimos companheiros da humanidade que se esforça por emergir das trevas para a luz. Como aceitardes a estagnação como princípio e a felicidade exclusivista como fim?

"Alimentemos a esperança renovadora. Não invoqueis Jesus para justificar anseios de repouso indébito. Ele não atingiu as culminâncias da Ressurreição sem subir ao Calvário, e as suas lições referem-se à fé que transporta montanhas.

"Não reclamemos, pois, ingresso em mundos felizes, antes de melhorar o nosso próprio mundo. Esquecei o velho erro de que a morte do corpo constitui milagrosa imersão da alma no rio do encantamento. Rendamos culto à vida permanente, à justiça perfeita, e adaptemo-nos à Lei que nos apreciará o mérito sempre de conformidade com as nossas próprias obras.

"Nosso ministério é de iluminação e de eternidade.

2.

"O Governo Universal não nos circunscreveu as atividades à guarda de altares perecíveis. Não fomos convocados a velar no círculo particular duma interpretação exclusivista, senão a cooperar na libertação do espírito encarnado, abrindo horizontes mais claros à razão humana, refazendo o edifício da fé redentora que as religiões literalistas esqueceram.

"Sopros imensos da onda evolucionista varrem os ambientes da Terra. Todos os dias ruem princípios convencionais, mantidos a título de invioláveis durante séculos. A mente humana, perplexa, é compelida a transições angustiosas. A subversão de valores, a experiência social e o processo acelerado de seleção pelo sofrimento coletivo perturbam os tímidos e os invigilantes, que representam esmagadora maioria em toda parte... Como atender a esses milhões de necessitados espirituais, se não receberdes a responsabilidade do socorro fraterno? Como sanar a loucura incipiente, se não vos transformardes em ímãs que mantenham o equilíbrio? Sabemos que a harmonia interior não é artigo de oferta e procura nos mercados terrestres, mas aquisição espiritual só acessível no templo do Espírito.

"Faz-se, pois, mister acendamos o coração em amor fraternal, à frente do serviço. Não bastará, em nossas realizações, a crença que espera; indispensável é o amor que confia e atende, transforma e eleva, como vaso legítimo da Sabedoria divina.

"Sejamos instrumentos do bem, acima de expectantes da graça. A tarefa demanda coragem e suprema devoção a Deus. Sem que nos convertamos em luz, no círculo em que estivermos, em vão acometeremos a sombra, aos nossos próprios pés. E, no prosseguimento da ação que nos compete, não nos esqueçamos de que a evangelização das relações entre as esferas visíveis e invisíveis é dever tão natural e tão inadiável da tarefa quanto a evangelização das pessoas.

11 "Não busqueis o maravilhoso: a sede do milagre pode viciar-vos e perder-vos.

"Vinculai-vos, pela oração e pelo trabalho construtivo, aos planos superiores, e estes vos proporcionarão contato com os armazéns divinos, que suprem a cada um de nós segundo a justa necessidade.

"As ordenações que vos ajoujam na paisagem terrena, por mais ásperas ou desagradáveis, representam a Vontade suprema.

"Não galgueis os obstáculos, nem tenteis contorná-los pela fuga deliberada: vencei-os, utilizando a vontade e a perseverança, ensejando crescimento aos vossos próprios valores.

"Cuidai em não transitar sem a devida prudência nos caminhos da carne, em que, muita vez, imitais a mariposa estouvada. Atendei as exigências de cada dia, rejubilando-vos por satisfazer as tarefas mínimas.

"Não intenteis o voo sem haver aprendido a marcha.

"Sobretudo, não indagueis de direitos prováveis que vos caberiam no banquete divino, antes de liquidar os compromissos humanos.

"Impossível é o título de anjos, sem serdes, antes, criaturas ponderadas.

"Soberanas e indefectíveis leis nos presidem aos destinos. Somos conhecidos e examinados em toda parte.

"As facilidades concedidas aos espíritos santificados, que admiramos, são prodigalizadas a nós por Deus, em todos os lugares. O aproveitamento, porém, é obra nossa. As máquinas terrestres podem alçar-vos o corpo físico a consideráveis alturas, mas o voo espiritual, com que vos libertareis da animalidade, jamais o desferireis sem asas próprias.

"A consolação e a amizade de benfeitores encarnados e desencarnados enriquecer-vos-ão de conforto, quais suaves e abençoadas flores da alma; entretanto, fenecerão como as rosas de um dia, se não fertilizardes o coração com a fé e o entendimento, com a esperança inquebrantável e o amor imortal, sublimes adubos que lhes propiciem o desenvolvimento no terreno do vosso esforço sem tréguas.

"Não cobiceis o repouso das mãos e dos pés; antes de abrigar semelhante propósito, procurai a paz interior na suprema tranquilidade da consciência.

"Abandonai a ilusão, antes que a ilusão vos abandone.

"Empolgando a chefia da própria existência, deixai plantado o bem na esteira de vossos passos.

"Somente os servos que trabalham gravam no tempo os marcos da evolução; só os que se banham no suor da responsabilidade conseguem cunhar novas formas de vida e de ideal renovador. Os demais, chamem-se monarcas ou príncipes, ministros ou legisladores, sacerdotes ou generais, entregues à ociosidade, classificam-se na ordem dos sugadores da Terra; não chegam a assinalar sua permanência provisória na crosta do planeta; adejam como insetos multicores, tornando à poeira de que se alçaram por alguns minutos.

"Regressando, pois, ao corpo de carne, valei-vos da luz para as edificações necessárias.

"Participemos do glorioso Espírito do Cristo.

"Convertamo-nos em claridade redentora.

"O desequilíbrio generalizado e crescente invade os departamentos da mente humana. Combatem-se, desesperadamente, as nações e as ideologias, os sistemas e os princípios. Estabelecida a trégua nas lutas internacionais, surgem deploráveis guerras civis, armando irmãos contra irmãos. A indisciplina fomenta greves; a ânsia de libertação perturba o domicílio dos povos.

Guerreiam-se as esferas de ação entre si; encarnados e desencarnados de tendências inferiores colidem ferozmente, aos milhões. Inúmeros lares transformam-se em ambientes de inconformação e desarmonia. Duela o homem consigo mesmo no atual processo acelerado de transição.

.13 "Equilibrai-vos, pois, na edificação necessária, convictos de que é impossível confundir a Lei ou trair-lhe os ditames universais!"

Perorando, Eusébio proferiu bela e sentida prece, invocando as bênçãos divinas para a assembleia. Sublimes manifestações de luz fizeram-se, então, sentir sobre nós.

Encerrados os trabalhos, os companheiros ainda presos ao círculo carnal começaram a retirar-se em respeitoso silêncio.

Calderaro conduziu-me à presença do instrutor e apresentou-me. O alto dirigente recebeu-me com afabilidade e doçura, cumulando-me de palavras de incentivo. Precisávamos servir, explicou ele, encarecendo as necessidades de assistência espiritual amontoadas em toda a parte, reclamando cooperadores abnegados e fiéis.

Quando Calderaro se referiu aos meus projetos, mostrou-me Eusébio paternal sorriso e, expondo-nos providências diversas a tomar, recomendou nos puséssemos em contato com o grupo socorrista a que o assistente emprestava ativa colaboração.

Logo após, ao retirar-se, ladeado pelos assessores que lhe compunham a comitiva, o nobre mentor confortou-me bondoso:

— Sê feliz!

Dirigindo a Calderaro expressivo olhar, acrescentou:

— Dado ensejo, conduze-o ao serviço de assistência às cavernas.

Tomado de curiosidade, agradeci sensibilizado e dispus-me a esperar.

3
A casa mental

3.1   Retomando a companhia de Calderaro, na manhã luminosa, absorvia-me o propósito de enriquecer noções pertinentes às manifestações da vida próxima à esfera física.

Admitido à colônia espiritual, que me recebera com extremado carinho, conhecia de perto alguns instrutores e fiéis operários do bem.

Inquestionavelmente, vivíamos todos em intenso trabalho, com escassas horas reservadas a excursões de entretenimento; demais, fruíamos ambiente de felicidade e alegria a favorecer-nos a marcha evolutiva. Nossos templos constituíam, por si sós, abençoados núcleos de conforto e de revigoramento. Nas associações culturais e artísticas encontrávamos a continuidade da existência terrestre, enriquecida, porém, de múltiplos elementos educativos. O campo social regurgitava de oportunidades maravilhosas para a aquisição de inestimáveis afeições. Os lares, em que situávamos o serviço diuturno, erguiam-se entre jardins encantadores, quais ninhos tépidos e venturosos em frondes perfumadas e tranquilas.

Não nos faltavam determinações e deveres, ordem e disciplina; entretanto, a serenidade era nosso clima, e a paz, nossa dádiva de cada dia.

Arremessara-nos a morte à atmosfera estranha à luta física. A primeira sensação fora o choque. Empolgara-nos o imprevisto. Continuávamos vivendo, apenas sem a máquina fisiológica, mas as novas condições de existência não significavam subtração da oportunidade de evolver. Os motivos de competição benéfica, as possibilidades de crescimento espiritual haviam lucrado infinitamente. Podíamos recorrer aos poderes superiores, entreter relações edificantes, tecer esperanças e sonhos de amor, projetar experiências mais elevadas no setor reencarnacionista, aprimorando-nos no trabalho e no estudo e dilatando a capacidade de servir.

Em suma, a passagem pelo sepulcro conduzira-nos a uma vida melhor; mas... e os milhões que transpunham o estreito limiar da morte, permanecendo apegados à crosta da Terra?

Incalculáveis multidões desse gênero mantinham-se na fase rudimentar do conhecimento; apenas possuíam algumas informações primárias da vida; exoravam amparo dos Espíritos superiores, como as tribos primitivas reclamam o concurso dos homens civilizados; precisavam de desenvolver faculdades, como as crianças de crescer; não permaneciam chumbadas à esfera carnal por maldade, senão que se demoravam, hesitantes, no chão terreno, como os pequeninos descendentes dos homens se conchegam ao seio materno; guardavam da existência apenas a lembrança do campo sensitivo, reclamando a reencarnação quase imediata quando lhes não era possível a matrícula em nossos educandários de serviço e aprendizado iniciais. Por outro lado, verdadeiras falanges de criminosos e transviados agitavam-se, não longe de nós, depois de haverem transposto as fronteiras do túmulo; consumiam, por vezes, inúmeros anos entre a revolta e a desesperação, personificando hórridos gênios da sombra, como ocorre, nos círculos terrenos, com os delinquentes contumazes, segregados da sociedade sadia; mas sempre terminavam a corrida louca nos desvãos escuros do remorso e do sofrimento, penitenciando-se, por fim, de suas perversidades. O arrependimento é, porém, caminho para a regeneração e nunca passaporte direto para o Céu, razão pela qual esses infelizes formavam quadros vivos de padecimento e de horror.

3.3. Em várias experiências, via-os conturbados e aflitos, assumindo formas desagradáveis ao olhar.

Nos casos de obsessão convertiam-se em recíprocos algozes, ou, então, em verdugos frios das vítimas encarnadas; quando errantes ou circunscritos aos vales de punição, aterravam sempre pelos espetáculos de dor e de miséria sem limites.

No entanto, era forçoso convir, eles, os desventurados, e nós outros, que continuávamos trabalhando em ritmo normal, atravessáramos portas idênticas. Talvez, em muitos casos, houvéssemos abandonado o invólucro material sob o assédio de doenças análogas. Isto considerando, e por desejar conhecer a divina Lei, que não concede paraísos de favor, nem estabelece infernos eternais, confrangia-me o contemplar as imensas fileiras de infortunados.

Efetivamente, identificara numerosos deles em câmaras retificadoras, por intermédio de múltiplas instituições de beneficência; todavia, esses, situados na zona de amparo fraterno, apresentavam a seu favor sintomas de melhora quanto ao reconhecimento das próprias falhas ou aos créditos espirituais de que gozavam, mercê de certas forças intercessoras.

Os infelizes a que aludimos provinham, porém, de outras origens. Eram os ignorantes, os revoltados, os perturbadores e os impenitentes, de alma impermeável às advertências edificantes, os enfatuados e os vaidosos dos mais vários matizes, perseverantes no mal, dissipadores da energia anímica, em atitudes perversas diante da vida.

Meu contato com eles, em diversas ocasiões, fora simples encontro fortuito, sem maior significação para meu esclarecimento.

Por que motivo se demoravam tanto no hemisfério obscuro da incompreensão? Adiavam, deliberadamente, a recepção da luz? Não lhes doeria a condição de seres condenados, por si mesmos, a longas penas? Não experimentariam vergonha pela perda voluntária de tempo? Muita vez, surpreendia-me a contemplá-los... Os traços fisionômicos de muitos desses desventurados pareciam monstruoso desenho, provocando ironia e piedade. Que lei regeria a estereotipagem de suas formas? Tê-los-ia olvidado a mãe natureza, pródiga de bênçãos em todos os planos, ou recebiam eles esses traços de apresentação pessoal como castigo imposto por superiores desígnios?

Tais interrogações que me esfervilhavam no cérebro me punham aflito por viver a possibilidade que se me oferecia.

Aproximei-me de Calderaro, naquela manhã, sedento de saber. Expus-lhe minhas indagações íntimas, relatei-lhe aos ouvidos tolerantes minha expectativa ansiosa, longamente sofreada; pretendia conhecer os que se entretinham na maldade, no crime, na inconformação.

Meu amigo escutou calmo, sorriu benevolamente e começou por esclarecer:

— Antes de mais nada, André, modifiquemos o conceito. Para transformar-nos em legítimos elementos de auxílio aos Espíritos sofredores, desencarnados ou não, é-nos imprescindível compreender a perversidade como loucura, a revolta como ignorância e o desespero como enfermidade.

Ante a minha perplexidade, acrescentou fraternal:

— Entendeste? Estas definições, em verdade, não são minhas. Aprendemo-las do Cristo, em seu trato divino com a nossa posição de inferioridade, na crosta terrestre.

3.5   Julguei que o instrutor se estendesse em longa exposição verbalista, relativa ao assunto, trazendo referências preciosas e comentando experiências pessoais. Nada disso; Calderaro informou-me simplesmente:

— A cegueira do espírito é fruto da espessa ignorância em manifestações primárias ou da obnubilação da razão nos estados de aviltamento do ser. Nosso interesse, no socorro à mente desequilibrada, é analisar este último aspecto da sombra que pesa sobre as almas; assim sendo, faz-se mister saberes alguma coisa da loucura no âmbito da civilização. Para isto, convém estudarmos, mais detidamente, o cérebro do homem encarnado e o do homem desencarnado em posição desarmônica, por situarmos aí o órgão de manifestação da atividade espiritual.

Desejaria continuar ouvindo-o nas explicações claras e convincentes, a lhe fluírem dos lábios, mas Calderaro silenciou para afirmar, passados alguns instantes:

— Não disponho de muito tempo para discretear de matéria estranha aos meus serviços; todavia, lidaremos juntos, convictos de que, trabalhando nas boas obras, aprenderemos sempre a ciência da elevação.

Sorriu fraternal e rematou:

— O verbo gasto em serviços do bem é cimento divino para realizações imorredouras. Conversaremos, pois, servindo aos nossos semelhantes de modo substancial, e nosso lucro será crescente.

Calei-me edificado.

Daí a minutos, acompanhando-o, penetrei vasto hospital, detendo-nos diante do leito de certo enfermo, que o assistente deveria socorrer. Abatido e pálido, mantinha-se ele unido a deplorável entidade de nosso plano, em míseras condições de inferioridade e de sofrimento. O doente, embora quase imóvel, acusava forte tensão de nervos, sem perceber, com os olhos físicos, a presença do companheiro de sinistro aspecto. Pareciam visceralmente jungidos um ao outro, tal a abundância de fios tenuíssimos que mutuamente os entrelaçavam, desde o tórax à cabeça, pelo que se me afiguravam dois prisioneiros de uma rede fluídica. Pensamentos de um deles com certeza viveriam no cérebro do outro. Comoções e sentimentos seriam permutados entre ambos com matemática precisão. Espiritualmente, estariam, de contínuo, perfeitamente identificados entre si. Observava-lhes, admirado, o fluxo de comuns vibrações mentais.

Dispunha-me a comentar o fenômeno, quando Calderaro, percebendo-me a intenção, se adiantou, recomendando:

— Examina o cérebro de nosso irmão encarnado.

Concentrei-me na contemplação do delicado aparelho, centralizando toda a minha capacidade visual, de modo a analisá-lo interiormente.

O envoltório craniano, ante meus poderes visuais intensificados, não apresentava resistência. Como reparara de outras vezes, ali estava o complicado departamento da produção mental, semelhando-se a laboratório dos mais complexos e menos acessíveis. As circunvoluções separadas entre si, reunidas em lóbulos,[4] igualmente distanciados uns dos outros pelas cissuras, davam-me a ideia de um aparelho elétrico, quase indevassado pelos homens. Comparando os dois hemisférios, recordei as designações da terminologia clássica e demorei-me longos minutos reparando as especiais disposições dos nervos e as características da substância cinzenta.

A voz do meu orientador quebrou o silêncio, exclamando inopinadamente:

— Observa a sinalização.

Assombrado, notei, pela primeira vez, que as irradiações emitidas pelo cérebro continham diferenças essenciais. Cada centro motor assinalava-se com peculiaridades diversas, atra-

---

[4] N.E.: O mesmo que lobos; parte mais ou menos bem definida de um órgão, especificamente do cérebro, pulmões e glândulas, demarcada por fissuras, sulcos, tecido conjuntivo etc.

vés das forças radiantes. Descobri, surpreso, que toda a província cerebral, pelos sinais luminosos, se dividia em três regiões distintas. Nos lobos frontais, as zonas de associação eram quase brilhantes. Do córtex motor até a extremidade da medula espinhal, a claridade diminuía, para tornar-se ainda mais fraca nos gânglios basais.

3.7 Já despendia alguns minutos na contemplação das células nervosas, quando o assistente me aconselhou:

— Examinaste o cérebro do companheiro que ainda se prende ao veículo denso; observa, agora, o mesmo órgão no amigo desencarnado que o influencia de modo direto.

A entidade, que não se dava conta de nossa presença, em virtude do círculo de vibrações grosseiras em que se mantinha, fixava toda a atenção no doente, lembrando a sagacidade de um felino vigiando a presa.

Observei-lhe estranha ferida na região torácica e dispunha-me a investigar-lhe a causa, sondando os pulmões, quando Calderaro me corrigiu sem afetação:

— Trataremos da chaga no trabalho de assistência. Concentra as possibilidades da visão no cérebro.

Decorridos alguns momentos, concluí que, à parte a configuração das peças e o ritmo vibratório, tinha sob os olhos dois cérebros quase idênticos. Diferia o campo mental do desencarnado, revelando alguma superioridade no terreno da substância, que, no corpo perispiritual, era mais leve e menos obscura. Tive a impressão de que, se lavássemos, por dentro, o cérebro do amigo estirado no leito, escoimando-o de certos corpúsculos mais pesados, seria ele quase igual, em essência, ao da entidade que eu mantinha sob exame. As divisões luminosas, porém, eram em tudo análogas. Mais luz nos lobos frontais, menos luz no córtex motor e quase nenhuma na medula espinhal, onde as irradiações se faziam difusas e opacas.

Interrompi o estudo comparativo, depois de acurada perquirição, e fixei Calderaro em silenciosa interrogativa.

O prestimoso mentor argumentou sorridente:

— Depois da morte física, o que há de mais surpreendente para nós é o reencontro da vida. Aqui aprendemos que o organismo perispirítico que nos condiciona em matéria mais leve e mais plástica, após o sepulcro, é fruto igualmente do processo evolutivo. Não somos criações milagrosas, destinadas ao adorno de um paraíso de papelão. Somos filhos de Deus e herdeiros dos séculos, conquistando valores, de experiência em experiência, de milênio a milênio. Não há favoritismo no Templo Universal do Eterno, e todas as forças da Criação aperfeiçoam-se no Infinito. A crisálida de consciência, que reside no cristal a rolar na corrente do rio, aí se acha em processo liberatório; as árvores que por vezes se aprumam centenas de anos, a suportar os golpes do inverno e acalentadas pelas carícias da primavera, estão conquistando a memória; a fêmea do tigre, lambendo os filhinhos recém-natos, aprende rudimentos do amor; o símio, guinchando, organiza a faculdade da palavra. Em verdade, Deus criou o mundo, mas nós nos conservamos ainda longe da obra completa. Os seres que habitam o Universo ressumbrarão suor por muito tempo, a aprimorá-lo. Assim também a individualidade. Somos criação do Autor divino, e devemos aperfeiçoar-nos integralmente. O eterno Pai estabeleceu como Lei universal que seja a perfeição obra de cooperativismo entre Ele e nós, os seus filhos.

O mentor silenciou por instantes, sem que me acudisse ânimo suficiente para trazer qualquer comentário aos seus elevados conceitos.

Logo após, indicou-me a medula espinhal e continuou:

— Creio ociosa qualquer alusão aos trabalhos primordiais do nosso longo drama de vida evolutiva. Desde a ameba, na tépida água do mar, até o homem, vimos lutando, aprendendo e selecionando invariavelmente. Para adquirir movimento e músculos, faculdades e raciocínios, experimentamos a vida e por ela fomos experimentados, milhares de anos. As páginas da sabedoria hinduísta são escritos de ontem, e a Boa-Nova de Jesus Cristo é matéria de hoje, comparadas aos milênios vividos por nós, na jornada progressiva.

3.9 Depois de fazer com a destra significativo gesto, prosseguiu:
— No sistema nervoso, temos o cérebro inicial, repositório dos movimentos instintivos e sede das atividades subconscientes; figuremo-lo como o porão da individualidade, onde arquivamos todas as experiências e registramos os menores fatos da vida. Na região do córtex motor, zona intermediária entre os lobos frontais e os nervos, temos o cérebro desenvolvido, consubstanciando as energias motoras de que se serve a nossa mente para as manifestações imprescindíveis no atual momento evolutivo do nosso modo de ser. Nos planos dos lobos frontais, silenciosos ainda para a investigação científica do mundo, jazem materiais de ordem sublime, que conquistaremos gradualmente, no esforço de ascensão, representando a parte mais nobre de nosso organismo divino em evolução.

Os esclarecimentos singelos e admiráveis empolgavam-me. Calderaro era educador da mais elevada estirpe. Ensinava sem cansar, sabia conduzir o aprendiz a conhecimentos profundos sem nenhum sacrifício da parte do aluno.

Apreciava-lhe eu a nobreza, quando prosseguiu, findo breve intervalo:
— Não podemos dizer que possuímos três cérebros simultaneamente. Temos apenas um que, porém, se divide em três regiões distintas. Tomemo-lo como se fora um castelo de três andares: no primeiro situamos a "residência de nossos impulsos automáticos", simbolizando o sumário vivo dos serviços realizados; no segundo localizamos o "domicílio das conquistas atuais", onde se erguem

e se consolidam as qualidades nobres que estamos edificando; no terceiro temos a "casa das noções superiores", indicando as eminências que nos cumpre atingir. Num deles moram o hábito e o automatismo; no outro residem o esforço e a vontade; e no último demoram o ideal e a meta superior a ser alcançada. Distribuímos, deste modo, nos três andares, o subconsciente, o consciente e o superconsciente. Como vemos, possuímos, em nós mesmos, o passado, o presente e o futuro.

Verificando-se pausa mais longa, dei curso às ponderações íntimas, segundo antigo vezo de inquirir.

As preciosas explicações que ouvira não poderiam ser mais simples, nem mais lógicas. Entretanto, perquiria a mim mesmo: o cérebro de um desencarnado seria também suscetível de adoecer? Sabia eu que a substância cinzenta, no mundo carnal, podia ser acometida pelos tumores, pelo amolecimento, pela hemorragia; mas na esfera nova, a que a morte me conduzira, que fenômenos mórbidos assediariam a mente?

Calderaro registrou-me as indagações e esclareceu:

— Não discutiremos aqui as moléstias físicas propriamente ditas. Quem acompanha, como nós, desde muito tempo, o ministério dos psiquiatras verdadeiramente consagrados ao bem do próximo, conhece, à saciedade, que todos os títulos de gratidão humana permanecem inexpressivos ante o apostolado de um Paul Broca, que identificou a enfermidade do centro da palavra, ou de um Wagner Jauregg, que se dedicou à cura da paralisia, em perseguição ao espiroqueta[5] da sífilis, até encontrá-lo no recesso da matéria cinzenta, perturbando as zonas motoras. Diante de fenômenos como estes, é compreensível a quebra da harmonia cerebral em consequência de compulsoriamente se arredarem das aglutinações celulares do campo fisiológico os

---

[5] N.E.: Designação comum às bactérias do gênero *Spirochaeta*, da família das espiroquetáceas, formadas por bastonetes flexíveis e espiralados, encontradas tanto em água doce como salgada.

princípios do corpo perispiritual; essas aglutinações ficam, então, desordenadas em sua estrutura e atividades normais, qual acontece ao violino incapacitado para a execução perfeita dum trecho melódico, por trazer uma ou duas cordas desafinadas.

3.11 Não devemos, nem podemos ignorar as leis que regem os domínios da forma... Daí a impossibilidade de querermos "psicologia equilibrada" sem "fisiologia harmoniosa", na esfera da ciência humana: isto é caso pacífico. Referir-nos-emos tão só às manifestações espirituais em sua essência. Indagas se a mente desencarnada pode adoecer... Que pergunta! Cuidas que a maldade deliberada não seja moléstia da alma? Que o ódio não constitua morbo terrível? Supões, porventura, não haja "vermes mentais" da tristeza e da inconformação? Embora tenhamos a felicidade de agir num corpo mais sutil e mais leve, graças à natureza de nossos pensamentos e aspirações, já distantes das zonas grosseiras da vida que deixamos, não possuímos ainda o cérebro dos anjos. Constitui-nos incessante trabalho a conservação de nossa forma atual, a caminho de conquistas mais alcandoradas; não podemos descansar nos processos iluminativos; cumpre-nos purificar sempre, selecionar pendores e joeirar concepções, de molde a não interromper a marcha. Milhões vivem aqui, na posição em que nos achamos, mas outros milhões permanecem na carne ou em nossas linhas mais baixas de evolução, sob o guante de atroz demência. É para esses que devemos cogitar da patologia do espírito, socorrendo os mais infelizes e interferindo fraternal e indiretamente na solução de problemas escabrosos em cujos fios negros se enredam. São duendes em desespero, vítimas de si mesmos, em terrível colheita de espinhos e desilusões. O corpo perispiritual humano, vaso de nossas manifestações, é, por ora, a nossa mais alta conquista na Terra, no capítulo das formas. Para as almas esclarecidas, já iluminadas de redentora luz, representa ele uma ponte para o campo superior da vida eterna, ainda não atingido por nós mesmos; para os espíritos vulgares, é a restrição indispensável e justa; para as consciências culpadas, é cadeia intraduzível, pois, além do mais, registra os erros cometidos, guardando-os com todas as particularidades vivas dos negros momentos da queda. O gênero de vida de cada um, no invólucro carnal, determina a densidade do organismo perispirítico após a perda do corpo denso. Ora, o cérebro é o instrumento que traduz a mente, manancial de nossos pensamentos. Por meio dele, pois, unimo-nos à luz ou à treva, ao bem ou ao mal.

Percebendo a atenção com que lhe seguia os preciosos esclarecimentos, Calderaro sorriu significativamente e perguntou:

— Compreendeste?

Indicando os dois sofredores ao nosso lado, prosseguiu:

— Examinamos aqui dois enfermos: um, na carne; outro, fora dela. Ambos trazem o cérebro intoxicado, sintonizando-se absolutamente um com o outro. Espiritualmente, rolaram do terceiro andar, onde situamos as concepções superiores, e, entregando-se ao relaxamento da vontade, deixaram de acolher-se no segundo andar, sede do esforço próprio, perdendo valiosa oportunidade de reerguer-se; caíram, destarte, na esfera dos impulsos instintivos, onde se arquivam todas as experiências da animalidade anterior. Ambos detestam a vida, odeiam-se reciprocamente, desesperam-se, asilam ideias de tormento, de aflição, de vingança. Em suma, estão loucos, embora o mundo lhes não vislumbre o supremo desequilíbrio, que se verifica no íntimo da organização perispiritual.

Dispunha-me a desfiar longa lista de perguntas alusivas às duas personagens em foco, mas o interlocutor iniciou o serviço de assistência direta, e, impondo a destra no lobo frontal esquerdo do doente encarnado, falou-me afável:

— Cala, meu amigo, tuas ansiosas indagações. Acalma-te. No transcurso de nossos trabalhos explicar-te-ei quanto estiver ao alcance de meus conhecimentos.

4
Estudando o cérebro

4.1   Com a mão fraterna espalmada sobre a fronte do enfermo, como a transmitir-lhe vigorosos fluidos de vida renovadora, Calderaro esclareceu-me bondoso:

— Há vinte anos, aproximadamente, este amigo pôs fim ao corpo físico do seu atual verdugo, num doloroso capítulo de sangue. Iniciei o serviço de assistência a ele só há três dias; no entanto, já me inteirei da sua comovente história.

Dirigiu compassivo olhar ao algoz desencarnado e prosseguiu:
— Trabalhavam juntos, numa grande cidade, entregues ao comércio de quinquilharias. O homicida desempenhava funções de empregado da vítima, desde a infância, e, atingida a maioridade, exigiu do chefe, que passara a tutor, o pagamento de vários anos de serviço. Negou-se o patrão, terminantemente, a satisfazê-lo, alegando as fadigas que vivera para assisti-lo na infância e na juventude. Propiciar-lhe-ia vantajosa posição no campo dos negócios, conceder-lhe-ia interesses substanciais, mas não lhe pagaria vintém relativamente ao passado. Até ali,

guardara-o à conta de um filho, que lhe reclamava contínua assistência. Estalou a contenda. Palavras rudes, trocadas entre vibrações de cólera, inflamaram o cérebro do rapaz, que, no auge da ira, o assassinou, dominado por selvagem fúria. Antes, porém, de fugir do local, o criminoso correu ao cofre, em que se amontoavam fartos pacotes de papel-moeda, retirou a importância vultosa a que se supunha com direito, deixando intacta regular fortuna que despistaria a polícia no dia imediato. Efetivamente, na manhã seguinte ele próprio veio à casa comercial, onde a vítima pernoitava enquanto a pequena família fazia longa estação no campo, e, fingindo preocupação ante as portas cerradas, convidou um guarda a segui-lo, a fim de violarem ambos uma das fechaduras. Em poucos momentos, espalhava-se a notícia do crime; no entanto, a justiça humana, emalhada nas habilidades do delinquente, não conseguiu esclarecer o problema na origem. O assassino foi pródigo nos cuidados de salvaguardar os interesses do morto. Mandou selar cofres e livros. Providenciou arrolamentos laboriosos. Requisitou amparo das autoridades legais para minucioso exame da situação. Foi verdadeiro advogado da viúva e dos dois filhinhos do tutor falecido, os quais, mercê de seu devotamento, receberam substanciosa herança. Pranteou a ocorrência como se o desencarnado lhe fosse pai. Terminada a questão, com a inanidade do aparelho judiciário diante do enigma, retirou-se, discreto, para grande centro industrial, onde aplicou os recursos econômicos em atividades lucrativas.

    O mentor estampou diferente brilho no olhar, fez pequena pausa e acrescentou: **4.2**

— Conseguiu ludibriar os homens, mas não pôde iludir a si mesmo. A entidade desencarnada, concentrando a mente na ideia de vingança, passou, perseverante, a segui-lo. Aferrou-se-lhe à organização psíquica, à maneira de hera sobre muro viscoso. Tudo fez o homicida para atenuar-lhe o assédio constante.

Desdobrou-se nos empreendimentos materiais, ansiando esquecimento de si mesmo e pondo em prática iniciativas que lhe fizeram afluir ao cofre enormes quantias, valorizando-lhe os títulos bancários. Observando, entretanto, que os altos patrimônios econômicos não lhe arrefeciam a intranquilidade e o sofrimento inconfessáveis, deu-se pressa em casar, aflito por sossegar o próprio íntimo. Desposou uma jovem de alma extremamente elevada à zona superior da vida humana, a qual lhe deu cinco filhinhos encantadores. No clima espiritual da mulher escolhida, conseguiu de certo modo equilibrar-se, conquanto a vítima nunca o largasse. Ocasiões houve em que se engolfava nas mais cruéis depressões nervosas, assaltado por estranhos pesadelos aos olhos dos familiares; mas sempre resistia, amparado, até certo ponto, pelas afeições de que a esposa, desde muito, dispõe em nossos planos. Se as leis humanas, todavia, correspondem à falibilidade dos homens encarnados, as leis divinas jamais falecem. Conservando as forças tenebrosas acumuladas em seu destino, desde a noite do assassínio, nosso desventurado amigo manteve enclausuradas, no porão da personalidade, todas as impressões destruidoras recolhidas no instante da queda. Repugnava-lhe uma confissão pública do crime, a qual, de certo modo, lhe mitigaria a angústia, libertando energias nefastas que arquivara.

4.3 A essa altura da narrativa, Calderaro interrompeu-se.

Tocou a zona do córtex e prosseguiu:

— A mente criminosa, assediada pela presença invariável da vítima, a perturbar-lhe a memória, passou a fixar-se na região intermediária do cérebro, porque a dor do remorso não lhe permitia fácil acesso à esfera superior do organismo perispirítico, onde os princípios mais nobres do ser erguem o santuário de manifestações da Consciência divina. Aterrorizado pelas recordações, transia-o irreprimível pavor em face dos juízos conscienciais. Por outra parte, cada vez mais interessado em assegurar a felicidade da família, seu único oásis no deserto escaldante das escabrosas reminiscências, o infeliz, então respeitado por força da posição social que o dinheiro lhe conferia, embrenhou-se em atividade febril e ininterrupta. Vivendo mentalmente na região intermediária do cérebro, em caráter quase exclusivo, só sentia alguma calma agindo e trabalhando, de qualquer maneira, mesmo desordenadamente. Intentava a fuga por todos os meios ao seu alcance. Deitava-se, extenuado pela fadiga do corpo, levantando-se, no dia seguinte, abatido e cansado de inutilmente duelar com o perseguidor invisível, nas horas de sono. Em consequência, provocou o desequilíbrio da organização perispiritual, o que se refletiu na zona motora, implantando o caos orgânico.

Fez característico movimento com o indicador e acentuou: **4.4**
— Repara os centros corticais.

Contemplei, admirado, aquele maravilhoso mundo microscópico. As células piramidais, distinguindo-se pelo tamanho, diziam da importância das funções que lhes impendiam no laboratório das energias nervosas. Observando atentamente o quadro, não me parecia que estivesse a examinar o tecido vivo da substância branco-cinzenta: tive a impressão de que o córtex fosse um robusto dínamo em funcionamento. Não estaríamos diante dalgum aparelho elétrico de complicada estrutura? Malgrado essas impressões, reparei que a matéria cerebral ameaçava amolecimento.

Continuava perplexo, sem saber como formular os comentários cabíveis, quando o assistente me veio em socorro, esclarecendo:

— Estamos diante do órgão perispiritual do ser humano, adeso à duplicata física, da mesma forma que algumas partes do corpo carnal têm estreito contato com o indumento. Todo o campo nervoso da criatura constitui a representação das potências perispiríticas, vagarosamente conquistadas pelo ser, através

4.5 de milênios e milênios. Renascendo entre as formas perecíveis, nosso corpo sutil, que se caracteriza, em nossa esfera menos densa, por extrema leveza e extraordinária plasticidade, submete-se, no plano da crosta, às leis de recapitulação, hereditariedade e desenvolvimento fisiológico, em conformidade com o mérito ou demérito que trazemos e com a missão ou o aprendizado necessários. O cérebro real é aparelho dos mais complexos, em que o nosso "eu" reflete a vida. Por meio dele, sentimos os fenômenos exteriores segundo a nossa capacidade receptiva, que é determinada pela experiência; por isso, varia ele de criatura a criatura, em virtude da multiplicidade das posições na escala evolutiva. Nem os símios ou os antropoides, a caminho da ligação com o gênero humano, apresentam cérebros absolutamente iguais entre si. Cada individualidade revela-o consoante o progresso efetivo realizado. O selvagem apresenta um cérebro perispiritual com vibrações muito diversas das do órgão do pensamento no homem civilizado. Sob este ponto de vista, o encéfalo de um santo emite ondas que se distinguem das que despede a fonte mental de um cientista. A escola acadêmica, na crosta planetária, prende-se à conceituação da forma tangível, em trânsito para as transformações da enfermidade, da velhice ou da morte. Aqui, porém, examinamos o organismo que modela as manifestações do campo físico, e reconhecemos que todo o aparelhamento nervoso é de ordem sublime. A célula nervosa é entidade de natureza elétrica, que diariamente se nutre de combustível adequado. Há neurônios sensitivos, motores, intermediários e reflexos. Existem os que recebem as sensações exteriores e os que recolhem as impressões da consciência. Em todo o cosmo celular agitam-se interruptores e condutores, elementos de emissão e de recepção. A mente é a orientadora desse universo microscópico, em que bilhões de corpúsculos e energias multiformes se consagram a seu serviço. Dela emanam as correntes da vontade, determinando vasta rede de estímulos, reagindo ante as exigências da paisagem externa, ou atendendo às sugestões das zonas interiores. Colocada entre o objetivo e o subjetivo, é obrigada pela divina Lei a aprender, verificar, escolher, repelir, aceitar, recolher, guardar, enriquecer-se, iluminar-se, progredir sempre. Do plano objetivo, recebe-lhe os atritos e as influências da luta direta; da esfera subjetiva, absorve-lhe a inspiração, mais ou menos intensa, das inteligências desencarnadas ou encarnadas que lhe são afins, e os resultados das criações mentais que lhe são peculiares. Ainda que permaneça aparentemente estacionária, a mente prossegue seu caminho, sem recuos, sob a indefectível atuação das forças visíveis ou das invisíveis.

4.6 Verificando-se pausa natural nas elucidações, ocorreram-me inúmeras e ininterruptas associações de ideias.

Como interpretar todas as revelações de Calderaro? As células do acervo fisiológico não se revestiam de característicos próprios? Não eram personalidades infinitesimais, aglomeradas sob disciplina nos departamentos orgânicos, mas quase livres em suas manifestações? Seriam, acaso, duplicatas de células espirituais? Como conciliar tal teoria com a liberação dos micro-organismos, em seguida à morte do corpo? E, se assim fora, não devera a memória do homem encarnado eximir-se do transitório esquecimento do passado?

O instrutor percebeu minhas perquirições inarticuladas, porque prosseguiu, sereno, como a responder-me:

— Conheço-te as objeções e também as formulei noutro tempo, quando a novidade me feria a observação. Posso, contudo, dizer-te hoje que, se existe a química fisiológica, temos também a química espiritual, como possuímos a orgânica e a inorgânica, existindo extrema dificuldade em definir-lhes os pontos de ação independente. Quase impossível é determinar-lhes a fronteira divisória, porquanto o espírito mais sábio não se animaria a localizar, com afirmações dogmáticas, o ponto onde termina a matéria e começa o espírito. No corpo físico, diferençam-se as células de maneira surpreendente. Apresentam determinada personalidade no fígado, outra nos rins e ainda outra no sangue. Modificam-se infinitamente, surgem e desaparecem, aos milhares, em todos os domínios da química orgânica, propriamente dita. No cérebro, porém, inicia-se o império da química espiritual. Os elementos celulares, aí, são dificilmente substituíveis. A paisagem delicada e superior é sempre a mesma, porque o trabalho da alma requer fixação, aproveitamento e continuidade. O estômago pode ser um alambique, em que o mundo infinitésimo se revele, em tumultuária animalidade, aproximando-se dos quadros inferiores da vida, porquanto o estômago não necessita recordar, compulsoriamente, que substância alimentícia lhe foi dada a elaborar na véspera. O órgão de expressão mental, contudo, reclama personalidades químicas de tipo sublimado, por alimentar-se de experiências que devem ser registradas, arquivadas e lembradas sempre que oportuno ou necessário. Intervém, então, a química superior, dotando o cérebro de material insubstituível em muitos departamentos de seu laboratório íntimo.

4.7   Interrompeu-se o assistente por alguns segundos, como a dar-me tempo para refletir.

Em seguida, continuou, atencioso:

— Na verdade, não há nisso mistério algum. Voltemos aos ascendentes em evolução. O princípio espiritual acolheu-se no seio tépido das águas, por intermédio dos organismos celulares, que se mantinham e se multiplicavam por cissiparidade. Em milhares de anos, fez longa viagem na esponja, passando a dominar células autônomas, impondo-lhes o espírito de obediência e de coletividade, na organização primordial dos músculos. Experimentou longo tempo, antes de ensaiar os alicerces do aparelho nervoso, na medusa, no verme, no batráquio, arrastando-se para emergir do fundo escuro e lodoso das águas, de modo a encetar as experiências primeiras, ao sol meridiano. Quantos séculos consumiu, revestindo formas monstruosas, aprimorando-se, aqui e ali, ajudado pela interferência indireta das inteligências superiores? Impossível responder por enquanto. Sugou o seio farto da Terra, evolucionando sem parar, através de milênios, até conquistar a região mais alta, onde conseguiu elaborar o próprio alimento.

Calderaro fixou em mim significativo olhar e perguntou: **4.8**
— Compreendeste suficientemente?

Ante o assombro das ideias novas que me fustigavam a imaginação, impedindo-me o minucioso exame do assunto, o esclarecido companheiro sorriu e continuou:

— Por mais esforços que envidemos por simplificar a exposição deste delicado tema, o retrospecto que a respeito fazemos sempre causa perplexidade. Quero dizer, André, que o princípio espiritual, desde o obscuro momento da Criação, caminha sem detença para a frente. Afastou-se do leito oceânico, atingiu a superfície das águas protetoras, moveu-se em direção à lama das margens, debateu-se no charco, chegou à terra firme, experimentou na floresta copioso material de formas representativas, ergueu-se do solo, contemplou os céus e, depois de longos milênios, durante os quais aprendeu a procriar, alimentar-se, escolher, lembrar e sentir, conquistou a inteligência... Viajou do simples impulso para a irritabilidade; da irritabilidade para a sensação; da sensação para o instinto; do instinto para a razão. Nessa penosa romagem, inúmeros milênios decorreram sobre nós. Estamos, em todas as épocas, abandonando esferas inferiores, a fim de escalar as superiores. O cérebro é o órgão sagrado de manifestação da mente, em trânsito da animalidade primitiva para a espiritualidade humana.

O orientador, interrompendo-se, acariciou-me de leve, como companheiro experimentado no estudo estimulando aprendiz humilde, e acrescentou:

4.9 — Em síntese, o homem das últimas dezenas de séculos representa a humanidade vitoriosa, emergindo da bestialidade primária. Desta condição participamos nós, os desencarnados, em número de muitos milhões de espíritos ainda pesados, por não havermos, até o momento, alijado todo o conteúdo de qualidades inferiores de nossa organização perispiritual; tal circunstância nos compele a viver, após a morte física, em formações afins, em sociedades realmente avançadas, mas semelhantes aos agrupamentos terrestres. Oscilamos entre a liberação e a reencarnação, aperfeiçoando-nos, burilando-nos, progredindo, até conseguir, pelo refinamento próprio, o acesso a expressões sublimes da vida superior, que ainda não nos é dado compreender. Nos dois lados da existência, em que nos movimentamos e dentro dos quais se encontram o nascimento e a morte do corpo denso, como portas de comunicação, o trabalho construtivo é a nossa bênção, aparelhando-nos para o futuro divino. A atividade, na esfera que ora ocupamos, é, para quantos se conservam quites com a Lei, mais rica de beleza e de felicidade, pois a matéria é mais rarefeita e mais obediente às nossas solicitações de índole superior. Atravessado, contudo, o rio do renascimento, somos surpreendidos pelo duro trabalho de recapitulação para a necessária aprendizagem. Por lá semearemos, para colher aqui, aprimorando, reajustando e embelezando, até atingir a messe perfeita, o celeiro farto de grãos sublimes, de modo a nos transferirmos, aptos e vitoriosos, para outras "terras do céu". Não devemos acreditar, porém, quanto aos serviços de resgate e de expiação, que a esfera carnal seja a única capaz de oferecer o bendito ensejo de sofrimento áspero, redentor. Em regiões sombrias, fora dela, quais não podes ignorar, há oportunidade de tratamento expiatório para os devedores mais infelizes, que voluntariamente contraíram perigosos débitos para com a Lei.

Verificou-se breve pausa, que não interrompi, considerando a inconveniência de qualquer indagação de minha parte.

Calderaro, todavia, continuou, solícito:

— Perguntas por que motivo não conserva o homem encarnado a plenitude das recordações do longuíssimo pretérito; isto é natural, em virtude da tão grande ascendência do corpo perispiritual sobre o mecanismo fisiológico. Se a forma física evoluiu[6] e se aperfeiçoou, o mesmo terá acontecido ao organismo perispirítico, através das idades. Nós mesmos, em nossa relativa condição de espiritualidade, ainda não possuímos o processo de reminiscência integral dos caminhos perlustrados. Não estamos, por enquanto, munidos de suficiente luz para descer com proveito a todos os ângulos do abismo das origens; tal faculdade, só mais tarde a adquiriremos, quando nossa alma estiver escoimada de todo e qualquer resquício de sombra. Comparando, entretanto, a nossa situação com o estado menos lúcido de nossos irmãos encarnados, importa não nos esqueçamos de que os nervos, o córtex motor e os lobos frontais, que ora examinamos, constituem apenas regulares pontos de contato entre a organização perispiritual e o aparelho físico, indispensáveis, uma e outro, ao trabalho de enriquecimento e de crescimento do ser eterno. Em linguagem mais simples, são respiradouros dos impulsos, experiências e noções elevadas da personalidade real que não se extingue no túmulo, e que não suportariam a carga de uma dupla vida. Em razão disto, e atendendo aos deveres impostos à consciência de vigília para os serviços de cada dia, desempenham função amortecedora: são quebra-luzes, atuando beneficamente para que a alma encarnada trabalhe e evolva. Além disto, nascimento e morte, na esfera carnal, para a generalidade das criaturas são choques biológicos, imprescindíveis à renovação. Em verdade, não há total

---

[6] N.E.: Evoluiu.

esquecimento na crosta terrestre, nem restauração imediata da memória nas províncias de existência, que se seguem, naturais, ao campo da atividade física. Todos os homens conservam tendências e faculdades, que quase equivalem a efetiva lembrança do passado; e nem todos, ao atravessarem o sepulcro, podem readquirir, repentinamente, o patrimônio de suas reminiscências. Quem demasiado se materialize, demorando-se em baixo padrão vibratório, no campo de matéria densa, não pode reacender, de pronto, a luz da memória. Despenderá tempo a desfazer-se dos pesados envoltórios a que inadvertidamente se prendeu. Dentro da luta humana, também, é indispensável que os neurônios se façam de luvas, mais ou menos espessas, a fim de que o fluxo das recordações não modere o esforço edificante da alma encarnada, empenhada em nobres objetivos de evolução ou resgate, aprimoramento ou ministério sublime. Importa reconhecer, porém, que a nossa mente aqui age no organismo perispirítico, com poderes muito mais extensos, mercê da singular natureza e elasticidade da matéria que presentemente nos define a forma. Isto, contudo, em nossos círculos de ação, não nos evita as manifestações grosseiras, as quedas lastimáveis, as doenças complexas, porque a mente, o senhor do corpo, mesmo aqui, é acessível ao vício, ao relaxamento e às paixões arruinantes.

4.11   Nessa altura das elucidações, arrisquei uma pergunta, no intervalo que se fez, espontâneo:

— Como interpretar, de maneira simples, as três regiões de vida cerebral a que nos referimos?

O companheiro não se fez rogado e redarguiu:

— Nervos, zona motora e lobos frontais, no corpo carnal, traduzindo impulsividade, experiência e noções superiores da alma, constituem campos de fixação da mente encarnada ou desencarnada. A demora excessiva num desses planos, com as ações que lhe são consequentes, determina a destinação do cosmo individual. A criatura estacionária na região dos impulsos perde-se num labirinto de causas e efeitos, desperdiçando tempo e energia; quem se entrega, de modo absoluto, ao esforço maquinal, sem consulta ao passado e sem organização de bases para o futuro, mecaniza a existência, destituindo-a de luz edificante; os que se refugiam exclusivamente no templo das noções superiores sofrem o perigo da contemplação sem as obras, da meditação sem trabalho, da renúncia sem proveito. Para que nossa mente prossiga na direção do alto, é indispensável se equilibre, valendo-se das conquistas passadas para orientar os serviços presentes, e amparando-se, ao mesmo tempo, na esperança que flui, cristalina e bela, da fonte superior de idealismo elevado; por essa fonte ela pode captar do plano divino as energias restauradoras, assim construindo o futuro santificante. E, como nos encontramos indissoluvelmente ligados aos que se afinam conosco, em obediência a indefectíveis desígnios universais, quando nos desequilibramos, pelo excesso de fixação mental, num dos mencionados setores, entramos em contato com as inteligências encarnadas ou desencarnadas em condições análogas às nossas.

O instrutor, com ar fraternal, indagou:

— Entendeste?

Respondi afirmativamente, possuído de sincera alegria porque, afinal, assimilara a lição.

Calderaro fez aplicações magnéticas sobre o crânio do enfermo, envolvendo-o em fluidos benéficos, e disse-me, após longa pausa:

— Temos aqui dois amigos de mente fixada na região dos instintos primários. O encarnado, depois de reiteradas vibrações no campo de pensamento, em fuga da recordação e do remorso, arruinou os centros motores, desorganizando também o sistema endócrino e perturbando os órgãos vitais. O desencarnado converteu todas as energias em alimento da ideia de vingança, acolhendo-se ao ódio em que se mantém foragido da razão e do altruísmo. Outra seria a situação de ambos se houvessem esquecido a queda, reerguendo-se pelo trabalho construtivo e pelo entendimento fraternal, no santuário do perdão legítimo.

4.13   O assistente deixou perceber novo brilho nos olhos percucientes e acrescentou:

— Segundo verificamos, Jesus Cristo tinha sobradas razões recomendando-nos o amor aos inimigos e a oração pelos que nos perseguem e caluniam. Não é isto mera virtude, senão princípio científico de libertação do ser, de progresso da alma, de amplitude espiritual: no pensamento residem as causas. Época virá em que o amor, a fraternidade e a compreensão, definindo estados do espírito, serão tão importantes para a mente encarnada quanto o pão, a água, o remédio; é questão de tempo. Lícito é esperar sempre o bem, com o otimismo divino. A mente humana, de maneira geral, ascende para o conhecimento superior, apesar de, por vezes, parecer o contrário.

Em seguida, permaneceu Calderaro longos minutos em vigorosas irradiações magnéticas, que, envolvendo a cabeça e a espinha dorsal do enfermo, se me afiguraram fortemente repousantes, porque em breve o doente, antes torturado, se abandonava a sono tranquilo, como se sorvera suavíssimo anestésico. Dentro em pouco encontrava-se em nosso círculo, temporariamente afastado do veículo denso, tomado de pavor perante o verdugo implacável, que se mantinha sentado, impassível, num dos ângulos do leito.

Verifiquei que o enfermo não nos notava a presença, qual acontecia com o algoz em muda expectativa.

Contava como certo que o assistente os cumulasse de longas doutrinações; Calderaro, porém, guardou absoluto silêncio.

Não me contive: interroguei-o. Por que os não socorrer com palavras de esclarecimento? O doente parecia-me aflito, enquanto o perseguidor se erguia, agora, mais agressivo. Por que não sustar o braço cruel que ameaçava um infeliz? Não seria justo impedir o atrito, que acarretaria consequências imprevisíveis ao companheiro hospitalizado?

O instrutor ouviu-me sereno e respondeu:

4.1

— Falaríamos em vão, André, porque ainda não sabemos amá-los como se fossem nossos irmãos ou nossos filhos. Para nós ambos, espíritos de raciocínio algo avançado, mas de sentimentos menos sublimes, são eles dois infortunados, e nada mais. Damos-lhes, no momento, o de que dispomos, isto é, intervenção benéfica no campo de seus sofrimentos exteriores, nos limites de nossas aquisições no domínio do conhecimento.

Olhou para grande porta próxima e acentuou:

— A providência não foi, porém, esquecida. A irmã Cipriana, orientadora dos serviços de socorro do grupo em que coopero, não pode tardar.

Mais alguns instantes, durante os quais o verdugo e a vítima reciprocavam palavras amargas, e o prestimoso mentor prosseguiu:

— Lembras-te de De Puysegur?

Sim, recordava-me de modo vago. Fez-se em meu cérebro uma livre associação de ideias, rememorando estudos que levara a efeito sobre certas realizações de Charcot.[7] Não podia, entretanto, especificar particularidades, porquanto a psiquiatria não fora meu campo direto de trabalho na Medicina.

Tornou Calderaro, solícito:

— De Puysegur foi dos primeiros magnetistas que encontraram o sono revelador, em que era possível conversar com o paciente noutro estado consciencial que não o comum. Desde então, a descoberta impressionou os psicologistas; com ela, surgia nova terapêutica para tratamento das moléstias nervosas e

---

[7] N.E.: Charcot (1825-1893), médico e cientista francês.

mentais. Entretanto, para nós, "neste lado" da vida, o fenômeno é corriqueiro: diariamente milhões de pessoas adormecem sob a influência magnética de amigos espirituais, a fim de serem auxiliadas nas resoluções inadiáveis.

4.15 — E por que não tentarmos o esclarecimento verbal, agora, a estes nossos amigos? — insisti, ansioso por minha vez, observando os infortunados contendores, que se trocavam insultos e acusações.

— Porque, se o conhecimento auxilia por fora, só o amor socorre por dentro — acrescentou o instrutor tranquilamente.

— Com a nossa cultura retificamos os efeitos, quanto possível, e só os que amam conseguem atingir as causas profundas. Ora, os nossos desventurados amigos reclamam intervenção no íntimo para modificar atitudes mentais em definitivo... E nós ambos, por enquanto, apenas conhecemos, sem saber amar...

Nesse momento, alguém assomou à porta de entrada.

Oh! era uma sublime mulher, revelando idade madura; nos olhos esplendia-lhe brilho meigo e enternecedor. Curvei-me comovido e respeitoso. Calderaro tocou-me o ombro de leve e murmurou-me ao ouvido:

— É a irmã Cipriana, a portadora do divino amor fraternal, que ainda não adquirimos.

5
O poder do amor

5.1 A mensageira aproximou-se e saudou-nos. Calderaro apresentou-me atenciosamente.

Fixou ela o triste quadro e disse ao assistente:

— Felicito-o pelo socorro que, nos últimos dias, vem prestando aos nossos infortunados irmãos. Agora atacaremos a parte final do serviço, convictos do êxito.

— Meu esforço — acrescentou o interlocutor, humilde — foi quase nenhum, resumindo-se em meros preparativos.

Irmã Cipriana sorriu afável e observou:

— Como atingiríamos o fim sem passar pelo princípio?

— Ó irmã, o conhecimento pode pouquíssimo, comparado com o muito que o amor pode sempre.

Singular expressão estampou-se na fisionomia da emissária, como se as referências lhe ferissem fundo a modéstia natural. Ocultando os méritos que lhe eram próprios, considerou:

— Sabe o divino Senhor que ainda estou a grande distância da realização que me atribui. Sou frágil e imperfeita, e devo caminhar ainda infinitamente para adquirir o amor que fortalece e aperfeiçoa.

Retendo o olhar firmemente sobre o meu companheiro, acrescentou:

— Estamos em cooperação fraternal na obra que pertence ao Altíssimo. Espero que os amigos se mantenham a postos, efetuando a maior porção do serviço, porque, quanto a mim, só atenderei aos singelos deveres que um coração materno pode desempenhar.

Assim dizendo, acercou-se de ambos os infelizes, postando-se em atitude de oração.

Que estaria pedindo às forças superiores, ali, diante de nós, aquela mulher de extraordinária expressão? Sentia-lhe, enlevado, a sinceridade profunda, a humildade fiel. A prece, em que por alguns minutos se concentrou, saturava-se de sublime poder, porquanto em breve suave luz descia do alto sobre a sua fronte venerável. Gradativamente Cipriana se fazia mais bela. Os raios divinos a fluírem dos mananciais invisíveis, envolvendo-a, transfiguravam-na toda. Tive a impressão de que a sua organização perispiritual absorvia a claridade maravilhosa, represando-se-lhe no ser.

Escoados alguns momentos, circundava-a refulgente halo, cuja santidade senti dever respeitar. Dos olhos, do tórax e das mãos efluíam irradiações de frouxa e suave luz, que não me terrificava a retina surpresa. Estava formosa, radiante, qual se fora a materialização da madona de Murillo,[8] em milagrosa aparição.

Perante a sua personalidade transfigurada, quase me prosternei, tal a comoção daquele minuto inesquecível.

Nenhum olhar nos dirigiu, quiçá, por humildade, no desejo de ocultar a elevada posição que desfrutava.

---

[8] N.E.: Murillo (1618-1682), pintor espanhol.

5.3   Estendeu as mãos para os dois desventurados, atingindo-os com o seu amoroso magnetismo, e notei, assombrado, que o poder daquela mulher sublimada lhes modificava o campo vibratório. Sentiram-se ambos desfalecer, oprimidos por uma força que os compelia à quietação. Entreolharam-se com indizível espanto, experimentando o respeito e o temor, presas de comoção irreprimível e desconhecida... Seus olhos espelhavam, no silêncio, angustiosa perquirição, quando a mensageira, avizinhando-se, os tocou de leve na região visual; reparei, de minha parte, que ambos registraram abalo mais forte e indisfarçável.

Reconhecendo o poder divino de que era dotada a emissária, notei que o enfermo, parcialmente liberto do corpo, e o perseguidor implacável passaram a ver-nos com indescritível assombro. Gritaram violentamente, empolgados pela surpresa, e, por julgar cada um de nós o que vê através do prisma de conhecimentos adquiridos, cuidaram fossem visitados pela excelsa Mãe de Jesus: definiam o ambiente em harmonia com as noções religiosas que o mundo lhes inculcara.

O doente ajoelhou-se de súbito, dominado por incoercível comoção, e desfez-se em copioso pranto. O outro, porém, embora perplexo e abalado, manteve-se ereto, qual se o bendito favor daquela hora não lhe fosse, a ele mesmo, concedido.

— Mãe dos Céus — clamou o companheiro hospitalizado, chorando convulsivamente —, como vos dignais de visitar o criminoso, que sou eu? Sinto vergonha de mim mesmo, sou imperdoável pecador, abatido pela minha própria miséria... Vossa luz revela-me toda a extensão das trevas em que me debato! Condoei-vos de mim, senhora!...

Havia uma sinceridade imensa, aliada a imensa dor, naquelas palavras de angústia e de arrependimento. Soluços sufocantes assomaram-lhe à boca, interrompendo-lhe a tocante súplica.

Cipriana acercou-se dele, de olhos faiscantes e úmidos. **5.** Tentou soerguê-lo, sem, no entanto, lograr que ele deixasse a postura genuflexa.

Certo, a piedosa missionária informara-se de todas as minúcias necessárias ao êxito de sua missão naqueles minutos, porque, enlaçando-o maternalmente, o chamou pelo nome, esclarecendo:

— Pedro, filho meu, não sou quem julgas, no transporte de viva confiança que te sensibiliza a alma. Sou simplesmente tua irmã na eternidade; todavia, também fui mãe na Terra, e sei quanto sofres.

O interpelado ergueu os olhos súplices, fitando-a através de espesso véu de lágrimas. Embora visivelmente animado pelas declarações ouvidas, manteve-se em posição reverente e humilde.

— Matei um homem!... — exclamou, desabafando-se.

A mensageira afagou-lhe o rosto, banhado em pranto, e acrescentou:

— Sei disso.

Decorridos alguns instantes, em que dividia o carinhoso olhar entre o interlocutor e o verdugo, contido pelo respeito a reduzida distância, dirigiu-se ao doente, de maneira intencional, de modo a se fazer ouvida pelo companheiro vingador:

— Por que destruíste, Pedro, a vida de teu irmão? Como te julgaste com forças e direito para quebrar a harmonia divina?

Deixando perceber que lhe ouvia os pensamentos mais íntimos, prosseguiu:

— Supunhas fazer justiça pelas próprias mãos, quando só fazias expandir a cólera aniquiladora. Por que razão, meu filho, pretendeste equilibrar a vida, provocando a morte? Como conciliar a justiça com o crime, quando sabemos que o verdadeiro justo é aquele que trabalha e espera no Pai, o supremo doador da Vida? Faz muito tempo hás perpetrado o homicídio, presumindo liquidar escabroso débito a jorros de sangue... Eliminaste o corpo de um amigo que se fez incompreensivo e duro; todavia, desde o trágico instante, ouves a consciência divina a reiterar a velha pergunta: "Caim, que fizeste de teu irmão?". Tens vivido desavorado e desditoso, de alma agrilhoada à própria vítima, aprendendo que o mal jamais se coadunará com o bem e que a Lei cobra dobrados tributos àquele que se antepõe aos seus ditames sábios e soberanos. Destruíste a paz de um companheiro e perdeste a tranquilidade própria; suprimiste-lhe o veículo físico, mas perambulas algemado ao teu, sentindo-o qual pesado fardo... Cuidavas ministrar o direito a ti mesmo e entortaste o destino, imprimindo perigosa curva ao teu caminho, que poderia ser retilíneo e iluminado. Temendo a ti próprio, por te sentires delinquente em toda a parte, buscaste refúgio no trabalho atabalhoado e mecanizante; conseguiste dinheiro que nunca te pacificou o ser; alcançaste culminante posição social entre os homens, dentro da qual, contudo, te sentes cada vez mais triste e mais desamparado... Como não te ocorreu, Pedro, a oração santificante? Como não te penitenciaste diante da vida, humilhando-te aos pés da tua vítima, no sincero e real propósito de regeneração? Preferiste a corrida louca empós das sensações externas, a fuga para a região do ganho material, a transitória ascensão para posições de domínio enganoso... Aterrorizado, tentaste escapar ao tribunal íntimo, onde o poder espiritual te exprobrava o condenável procedimento!

5.5   "Mas nunca é tarde para levantar o coração e curar a consciência ferida. Exausto de sofrer, cedeste à enfermidade e aproximas-te da loucura. De alma contundida e corpo em desordem, apelaste para a Misericórdia divina, e aqui estamos. Contudo, meu amigo, nossa voz não se ergue para fustigar-te o espírito, já de si mesmo tão castigado e tão infeliz! Vimos ao teu encontro para estimular-te à regeneração. Quem poderá condenar alguém, depois da comunhão de vicissitudes na carne? Quem se sentirá suficientemente puro e santificado para atirar a primeira pedra, mesmo depois de haver atravessado a fronteira de cinzas do sepulcro? Quem de nós terá passado incólume nas correntes do pântano? Não, Pedro, o fundamento da obra divina é de amor incomensurável. Encontramo-nos aqui para querer-te bem, intentando alçar-te a consciência aos campos infinitos da vida eterna. Oraste e chamaste-nos. Abriste a mente à força regenerativa, e somos teus irmãos. Muitos de nós, em outro tempo, penetramos também o sombrio recôncavo dos vales do assassínio, da injustiça e da morte; entretanto, estacamos no caminho, renegamos o crime, ressoldamos com lágrimas os elos partidos pela nossa imprudência, e, cultivando o perdão e a humildade, aprendemos que só o amor salva e constrói para sempre.

"Lembra-te das tuas próprias necessidades, interrompe a marcha da aflição, reconsidera a atitude e faze novo compromisso perante a divina Justiça."

Passada longa pausa, Cipriana abriu os braços maternos e acrescentou:

— Levanta-te e vem a mim. Sou tua mãe espiritual, em nome de Deus.

O enfermo, de olhos brilhantes e lacrimosos, ergueu-se, qual menino, sensibilizando-nos o coração, e exclamou:

— Merecerei tamanha graça?

— Como não, filho meu? O Pai não nos responde às súplicas com palavras condenatórias. Acercamo-nos de ti em nome dele, nosso supremo Senhor.

Assim dizendo, conchegou-o ao coração, mas havia tal meiguice naquele amplexo inesperado que outros circunstantes, que não nós, diriam presenciar o reencontro de carinhosa mãe com o filho ausente, após longa e cruciante separação.

O infortunado deixou pender a cabeça sobre um dos ombros dela, demonstrando infinita confiança, e murmurou infantilmente:

— Mãe do Céu, ninguém na Terra jamais me falou assim...

Via-se-lhe o alívio pelo semblante feliz.

5.7   Cipriana amimou-o bondosa e explicou:

— É imprescindível aquietes a mente afogueada, depositando nas mãos do Senhor as antigas angústias.

A essa altura, voltei a Calderaro meu olhar comovido e notei que as lágrimas não brotavam exclusivamente dos meus olhos. O companheiro tinha-as abundantes a lhe deslizarem na face calma.

Tocado por minha silenciosa indagação, falou-me em voz apenas perceptível:

— Praza a Deus, André, possamos também aprender a amar, adquirindo o poder de transformar os corações.

A emissária, que parecia não se dar conta de nossa presença, avançou para o verdugo, sustentando Pedro nos braços, como se lhe fora um filho doente. O perseguidor aguardou-a, ereto e altivo, revelando-se insensível às palavras que nos haviam dominado os corações. A missionária, longe de intimidar-se, aproximou-se, tocando-o quase, e falou humilde:

— Que fazes tu, Camilo, cerrado à comiseração?

O algoz, demonstrando incompreensível frieza, retorquiu cruel:

— Que pode fazer uma vítima como eu senão odiar sem piedade?

— Odiar? — tornou Cipriana, sem se alterar. — Sabes a significação de tal atitude? As vítimas inacessíveis ao perdão e ao entendimento soem ultrapassar a dureza e a maldade dos preceitos, provocando horror e compaixão. Quantos se valem desse título para pôr de manifesto as monstruosidades que lhes povoam o ser! Quantos se aproveitam da hora de irreflexão de um amigo ignorante ou infeliz para encetar séculos de perseguição no inferno da ira! A condição de vítima não te confere santidade; vales-te dela para semear, na própria senda, ruína e miséria, treva e destroços. Sem dúvida, Pedro feriu-te em momento de insânia, perdido de ilusão na mocidade turbulenta; no entanto, pai de família que foste, homem refletido e prudente que aparentavas ser, não encontraste no espírito mínima réstia de piedade fraternal para desculpá-lo. Há vinte anos instilas em torno de ti a peçonha da víbora, na postura do famulento chacal. Podendo conquistar a láurea dos vencedores com o Cristo, preferiste o punhal da vingança, ombreando-te com os malfeitores endurecidos. Onde esbarrarás, meu filho, com teus sentimentos desprezíveis? Em que muralha de angústia serás algemado pela Justiça de Deus?

Dos olhos de Cipriana escorriam grossas lágrimas.

Camilo vacilava entre a inflexibilidade e a capitulação. Extrema palidez cobria-lhe o rosto, e, quando nos pareceu que ia proferir uma resposta a esmo, a missionária dirigiu-se ao meu orientador, pedindo-lhe com humildade:

— Calderaro, meu amigo, ajude-me a conduzi-los. Sigamos até ao lar de Pedro, onde Camilo atenderá nossos rogos.

Meu companheiro não hesitou. Voltando-se para mim, obtemperou:

— A irmã transportará Pedro com os próprios recursos, mas o outro, terrivelmente escravizado aos pensamentos inferiores e às intenções criminosas, é pesado de carregar: conduzamo-lo nós ambos.

Dando-lhe nossos braços, Calderaro à direita e eu à esquerda, reparei que o paciente não reagia; compreendendo, talvez, a inanidade de qualquer rebeldia, deixava-se levar sem protesto.

Colocamo-nos, assim, em jornada rápida.

Em breves minutos penetrávamos confortável residência, onde uma senhora, na sala de estar, tricotava, junto de dois filhos pequeninos.

A conversação doméstica era doce, cristalina.

— Mamãe — dizia o menorzinho —, onde está o Neneco?

— Voltou ao serviço.

— E Celita?

— No colégio.

— E Marquinhos?

5.9 — Também.

— Eu queria "todo o mundo" aqui em casa...

— Para quê? — indagou a genitora, sorrindo.

— Sabe, mamãe, para rezarmos por papai. A senhora reparou, ontem à noite, como estava aflito e abatido?

A jovem matrona transluziu certa angústia nos olhos, mas objetou, em tom firme:

— Confiemos em Deus, meu filhinho. O médico recomendou-nos tranquilidade, e estou convencida de que a Providência nos ouvirá.

Lançou inteligente olhar sobre a criança e acentuou:

— Vá distrair-se, Guilherme; vá brincar.

O pequeno Guilherme, porém, descansou o braço direito sobre um livro de primeiras letras, cismando, como se indiretamente percebesse nossa presença, enquanto a senhora súbito abandonou o tricô para chorar num quarto, a distância.

Acompanhávamos a cena, comovidos, quando Cipriana se dirigiu a Camilo, desapontado:

— Continuemos. Efetivamente, nosso amigo subtraiu-te a vida física, noutro tempo, contraindo assim dolorosa dívida; entretanto, a voz deste menino devotado à prece não te sensibiliza o espírito endurecido? Este é o lar que o Pedro criminoso instituiu para criar o Pedro renovado... Aqui trabalha ele, exaustivamente, para retificar-se perante a Lei. Compreendendo a responsabilidade terrível, assumida com o golpe que te aplicou sem reflexão, meteu ombros a uma atividade desordenada e incessante, derruindo os centros físicos. Antes dos 50 anos, no corpo terrestre, revela evidentes sinais de decrepitude. Se cometeu falta grave, tem feito o possível por erguer-se, numa vida nobre e útil. Amparou devotada mulher no instituto do casamento, deu refúgio a cinco filhinhos, esforçando-se por norteá-los para o bem, por meio do trabalho honesto e do estudo edificante. Sem dúvida, Pedro cresceu no conceito dos amigos, galgou posição de abastança material; todavia, sabe agora, de experiência própria, que o dinheiro não soluciona problemas fundamentais do destino e que o elevado conceito que possamos conseguir dos outros nem sempre corresponde à realidade. Não obstante todas as vantagens conquistadas no âmbito material, tem vivido enfermo, infortunado, aflito... Apesar disto, tem a seu crédito o serviço realizado com boas intenções, o reconhecimento de uma companheira que o nobilita e as preces de cinco filhos agradecidos.

"Quanto a ti, que fizeste? Faz precisamente vinte anos que não abrigas outro propósito senão o de extermínio. O desforço detestável tem sido o objeto exclusivo de teus intuitos destruidores. Teu sofrimento, agora, nasce da volúpia da vingança. Vale a pena ser vítima, receber a palma santificante da dor, para descer tanto na escala da vida?"

A benfeitora fez breve pausa, fitou-o compadecidamente e prosseguiu:

— Contudo, Camilo, nossa palavra enérgica não se faz ouvir neste santuário, à laia de juízo irrecorrível. És, acima de tudo, nosso irmão, credor de nosso afeto, de nossa estima leal. Com o te visitar, nosso objetivo é ajudar-te. Talvez recuses nossa aliança fraterna, mas confiamos em tua regeneração. Também nós, em épocas remotas, demoramos no desfiladeiro fatal a que te conduziste. Passamos longo tempo na atitude da serpe venenosa, concentrada em si mesma, aguardando o ensejo de exterminar ou de ferir. No entanto, o Senhor Todo-Misericordioso nos ensinou que a verdadeira liberdade é a que nasce da perfeita obediência às suas leis sublimes, e que só o amor tem suficiente poder para salvar, elevar e remir. Somos todos irmãos, suscetíveis das mesmas quedas, filhos do mesmo Pai... Não te falamos, pois, como anjos, senão como seres humanos regenerados, em peregrinação aos círculos maiores!

Havia tal inflexão de carinho naquelas ternas e sábias considerações, que o perseguidor, dantes frio e impassível, prorrompeu em pranto. Malgrado tal modificação, alçou o indicador na direção de Pedro e exclamou:

.11 — Quero ser bom, e, todavia, sofro! Confrangem-me atrozes padecimentos. Se Deus é compassivo, por que me deixou ao desamparo?!

Aqueles soluços, a explodirem-lhe da alma torturada, feriam-me fundo o coração. Como não chorar também, ali, ante aquela cena simbólica? Camilo e Pedro, entrelaçados no crime e no resgate, não representavam todos nós, os seres humanos falíveis? Cipriana, tolerante e maternal, não personificava a Compaixão divina, sempre inclinada a ensinar com o perdão e a corrigir pelo amor?

Ouvindo as palavras do verdugo, a missionária observou:

— Quem de nós, meu amigo, poderá apreender toda a significação do sofrimento? Indagas a razão por que permitiu o Senhor atravessasses tão dura prova... Não será o mesmo que interrogar o oleiro pelos motivos que o compelem a cozer o delicado vaso em calor ardente, ou inquirir do artista os propósitos que o levam a martelar a pedra bruta para a obra-prima de estatuária? Camilo, a dor expande a vida, o sacrifício liberta-a. O martírio é problema de origem divina. Tentando solvê-lo, pode o espírito elevar-se ao pináculo resplandecente ou precipitar-se em abismo tenebroso, porque muitos retiram do sofrimento o óleo da paciência, com que acendem a luz para vencer as próprias trevas, ao passo que outros dele extraem pedras e acúleos de revolta, com que se despenham na sombra dos precipícios.

Notando que o desventurado chorava amargamente, Cipriana continuou, depois de breve silêncio:

— Chora! Desabafa-te! O pranto de compunção tem miraculoso poder sobre a alma ferida.

Calou-se a emissária por minutos. Seus olhos muito lúcidos pareciam agora vaguear em paisagem distante...

Recolheu Camilo, quase maquinalmente, nos braços, conservando os contendores conchegados ao peito, qual se lhes fora mãe comum.

Transcorrido algum tempo, dirigiu carinhoso olhar ao algoz de Pedro e prosseguiu:

— Comentas o mal que te feriu, invocas a Providência com expressões desrespeitosas... Ó meu filho, cala o dom de falar quando não puderes servir ao bem. Vivi igualmente na Terra e não padeci quanto devia, considerado o tesouro da iluminação espiritual que recebi do Céu pela dor. Perdi meus sonhos, meu lar, meu esposo, meus filhos! O Senhor mos deu, o Senhor mos retomou. Meus dois rapazes foram assassinados numa guerra civil, em nome de princípios legais; minhas duas filhas, seduzidas pelo fascínio do prazer e do ouro, escarneceram de minhas esperanças e permanecem na esfera sombria, emaranhadas em perigosas ilusões. O esposo era o único amigo que me restava; entretanto, quando a lepra acometeu minha carne, abandonou-me também, empolgado por visível horror. Desprezaram-me todas as afeições, fugiram os favores do mundo; contudo, enquanto meus membros se desatavam do corpo que se corrompia, quando me achava relegada ao extremo desamparo dos que me eram caros, robustecia-se dentro em mim o cântico da esperança. Minha alma glorificava o Senhor da vida triunfante... Concedera-me Ele, um dia, todas as graças da saúde e da mocidade, retomando, em seguida, esses bens, que eu guardava por empréstimo. Privou-me dos entes queridos, desfez-me o equilíbrio orgânico, enviou-me a fome e a dor; no entanto, quando a minha solidão se fez amarga e completa, minha fé elevou-se mais clara e mais viva... Que necessitava eu, miserável mulher, senão padecer, para santificar a esperança? Que não precisarei ainda, para lograr o acesso às fontes superiores? Quem somos nós, senão vaidosos vermes com inteligência mal aplicada, aos quais se tem de mil modos manifestado a Misericórdia infinita, mas em vão?

13.   Foi, então, a vez de Camilo ajoelhar-se.

Do tórax de Cipriana partia radioso feixe de luz, que lhe atravessava o coração, qual venábulo de luar cristalino.

O infeliz, genuflexo agora, beijava-lhe a destra, num transporte comovente de gratidão, rociando-a de lágrimas.

— Sim — disse ele, chorando —, não me falaríeis desta maneira se me não amásseis! Não são vossas palavras que me convencem... senão o vosso sentimento que me transmuda!

E, como acontecera a Pedro, também gritou:

— Mãe do Céu, libertai-me de minhas próprias paixões! Desfechai-me as algemas que eu mesmo forjei..., quero fugir de minhas sinistras recordações..., quero partir, esquecer, empenhar-me na luta regeneradora, recomeçando a trabalhar!

Cipriana confiou-nos o doente, cujo veículo denso descansava no hospital próximo, e, num triunfante sorriso de ternura materna, enlaçou o ex-perseguidor, murmurando:

— Abençoado sejas tu, que ouviste o apelo do perdão redentor. Que o Pai te abençoe para sempre! Vamos! A Providência oferece trabalho regenerativo a todos nós...

Abraçou-se à figura repulsiva do ex-verdugo, aconchegou-o ao coração e aproximou-se de nós, dirigindo-nos a palavra gentilmente:

— Irmãos, agradeço-lhes o concurso fraterno. Nosso amigo sofredor seguirá em minha companhia. Espero localizá-lo em terreno de atividade restauradora.

E, antes de despedir-se, notificou ao meu orientador:

— Irmão Calderaro, aguardo-lhe a colaboração hoje à noite, em favor de Cândida, que deve regressar ao "nosso lado" amanhã, em definitivo. Precisamos salvar-lhe da loucura total a filhinha.

Retirou-se a mensageira, conduzindo o transviado como se lhe fora precioso fardo, enquanto nova luz me dealbava o espírito.

O assistente tocou-me o ombro e falou:

— O coração que ama está cheio de poder renovador. Certa feita, disse Jesus que existem demônios somente suscetíveis de regeneração "pelo jejum e pela prece". Às vezes, André, como neste caso, o conhecimento não basta: há que ser o homem animado da força divina, que flui do jejum pela renúncia, e da luz da oração, que nasce do amor universal.

Dispúnhamo-nos a reconduzir o enfermo à casa de saúde, quando a dona da casa assomou à sala, em traje de sair, e disse aos meninos:

— Preparem-se, filhinhos. Visitaremos o papai dentro em pouco.

Transportamos Pedro ao leito, dispensando-lhe os cuidados possíveis.

Em breve, despertava a sorrir, melhorado, quase feliz. Chamou a enfermeira, demonstrando novo brilho no olhar. Não sentia mais a dor persistente no peito. Algo — refletia ele — expungira-lhe de negrores a cabeça, como a chuva benéfica lava e clareia um céu de chumbo.

Decorrida uma hora, a esposa e os filhinhos penetravam no aposento, partilhando-lhe o bem-estar.

Contou-lhes Pedro, chorando de júbilo, que tivera um sonho iluminativo; assegurava ter sido visitado pela Mãe Santíssima, que lhe estendera as divinas mãos, transbordantes de luz.

A esposa, ouvindo-o, verteu copioso pranto de alegria e de reconhecimento. E Guilherme, o pequenino cheio de fé viva, tomou a destra paterna, osculando-a com filial afeição e agradecimento a Deus.

Sensibilizado, acompanhei a cena íntima em que a família reencontrava a paz e, recordando Cipriana, com a sua milagrosa atuação salvadora, compreendi que a mulher, santificada pelo sacrifício e pelo sofrimento, se converte em portadora do divino amor maternal, que intervém no mundo para enobrecer o sentimento das criaturas.

6
Amparo fraternal

6.1 Noite fechada, encontramo-nos à porta de aposento modesto, em santuário humilde.

Gentil irmã de nossa esfera nos aguardava no limiar, saudando-nos atenciosa.

Avançou Calderaro, perguntando:

— E Cândida, como passa?

— Muito bem. Deve estar conosco, em definitivo, amanhã à noite. Irmã Cipriana recomendou-me vigiá-la para que o desenlace se realize placidamente. Creio que nossa desvelada amiga já poderia ter vindo; no entanto, ao que me parece, a filhinha, que deixará na crosta, reclama certas providências.

Entramos.

No leito, uma senhora, prematuramente envelhecida, aguardava a morte. Na fisionomia, os fenômenos de extinção do tônus vital eram visíveis.

Cândida, a irmã que nos merecia tanto carinho, prendia-se ainda ao corpo por meio de fios muito frágeis. Pela doce luz que lhe nimbava a fronte, emitida por sua própria mente, eu lhe observava a grandeza da alma, o sereno heroísmo.

Junto dela, uma jovem, de rosto pálido e corpo alquebrado, acariciava-lhe os cabelos grisalhos, enxugando, de momento a momento, as lágrimas em contínuo fluxo.

O assistente indicou-ma, explicando:

— É a filha a despedir-se. Ouçamo-las.

Cândida, amimando-a com dificuldade, falava comovida:

— Julieta, minha filha, tenha cuidado consigo. Você sabe que, provavelmente, não mais me levantarei. Receio deixá-la entregue aos embates do mundo, sem mãos amigas...

A moça trazia a garganta comprimida. O pranto copioso testemunhava-lhe a extrema angústia.

A mãezinha, porém, refreando a custo a comoção, prosseguia generosa:

— Meus filhos abandonaram-nos. Estamos sozinhas e precisamos pensar. Noto-a perturbada e mais aflita nestes últimos dias. Tenho a impressão de que o dinheiro não dá para nossas despesas. Que estará acontecendo? Tenho sido tão pesada à sua juventude! Entretanto, permaneço confiante em Jesus. Diariamente rogo ao Senhor não nos desampare. Temo que seu destino se desvie do caminho reto por minha causa... De outras vezes, filhinha, receio que você acabe enlouquecendo...

E depois de ligeira pausa, em que apertou mais carinhosamente a destra da mocinha, que não aparentava mais de 20 anos, a enferma continuou:

— Ouça: você não ignora que nos últimos meses a despesa tem sido enorme. As intervenções que sofri foram melindrosas e longas. As contas são gigantescas. E o dinheiro? Tranquilize-me, querida!

A moça enxugou as lágrimas abundantes e informou:

— Não se aflija, mamãe! Temos o necessário. Estou trabalhando.

6.3   — Mas a costura rende tão pouco! — acentuou a enferma em tom desalentado.

— Oh! não se vexe tanto! Além dos nossos recursos naturais, tomei pequeno empréstimo. Dentro de alguns meses tudo retomará o ritmo normal.

— Permita-o Deus.

Findo intervalo mais longo, indagou a doente:

— Onde está o Paulino?

A filha ruborizou-se e respondeu acanhada:

— Não sei, mamãe.

— Não se veem há muito?

— Não — tornou a moça, tímida.

— Desejaria vê-lo. Temo partir de um momento para outro... e não vejo pessoa a quem solicitar assistência para a sua mocidade. Que será de você, sozinha, ao sabor das circunstâncias? O mundo está referto de homens maus, que espreitam o ensejo de flagiciar...

Nesse instante, dos olhos lúcidos de Cândida escaparam algumas lágrimas, que me abrasaram o coração.

— Se eu morrer, minha filha — prosseguiu com tocante acento —, não se deixe arrastar pelas tentações. Procure recursos no trabalho digno, não se impressione com as promessas de vida fácil. Você sabe que a minha viuvez nos deparou dificuldades angustiosas; seu pai, contudo, nos deixou uma pobreza honesta e cheia de bênçãos. Em verdade, seus irmãos, fascinados pelo ganho material, relegaram-nos ao abandono, ao esquecimento, mas nunca me arrependi da humildade e do trabalho... Cedo perdi a saúde, e mui breve os desenganos me lancinaram o coração; todavia, neste grabato[9] de silêncio e de dor, a paz é a coroa de minha alma e reconheço que não há fortuna maior que

---

[9] N.E.: Leito pequeno e miserável.

a consciência tranquila... Sabe o Senhor os motivos de nossos sofrimentos e privações, e só nos cabem razões para louvá-lo... De tudo quanto padeci remanesce-me um tesouro: seu devotamento, minha filha. Seu carinho enriquece-me. Morrerei feliz, sabendo que um coração de filha me lembrará na Terra com as preces do amor que nunca morre... Entretanto, Julieta, não desejo que você seja boa e dócil tão somente para comigo; obedeça igualmente a Deus, consagre-lhe amor e confiança. Ele é nosso Pai de infinita bondade e de nós pede apenas um coração singelo e uma vida pura. Conforme-se, filhinha, com os desígnios divinos, no turbilhão das provas humanas, e não descoroçoe!

— Ó mamãe! não prossiga — soluçou a jovem, desabafando-se —, não prossiga! Estaremos sempre juntas. A senhora não morrerá. Viveremos uma para a outra, jamais nos separaremos... Acalme-se! Não quero vê-la aflita... Tudo passará. O médico prometeu-me iniciar tratamento mais enérgico. Tenhamos fé!

Cândida esboçou triste sorriso, acariciou as mãos da jovem e falou:

— Obrigada, minha filha! Estou calma e feliz...

Olhou, em seguida, os ponteiros do relógio próximo e acrescentou:

— Vá sossegada! O horário de nossa palestra terminou.

Beijaram-se comovidamente. E Julieta, após carinhoso adeus, afastou-se.

— Sigamo-la — disse Calderaro, atento —; devemos assisti-la com recursos magnéticos. Tenho instruções de Cipriana a respeito.

Em caminho, o instrutor esclareceu-me a história da agonizante:

— Enviuvara Cândida muito moça, com três filhos: dois rapazes e Julieta, cuja educação lhe impusera amarga renúncia dos bens da vida. Lutara, trabalhara e sofrera, com resignação e coragem. Os filhos varões, a quem revoltava a pobreza do lar materno, abandonaram-na, buscando centros distantes, por atender a impulsos menos edificantes da mocidade. Perseverou a viúva na existência singela, consagrada à preparação do futuro da filha. Iniciou-a nos trabalhos de agulha, em que a menina se revelou, de pronto, excelente profissional, mas, depois de alguns anos de provações mais rudes, a nobre genitora caiu, extenuada. Hospitalizada, sofreu diversas intervenções no campo orgânico, sem resultados apreciáveis. Tão aflitiva se lhe tornou a situação, que o recolhimento à casa de saúde já se alongava por dez arrastados meses. A princípio, por si só, Julieta conseguiu satisfazer às exigências financeiras. Com o escoar do tempo, viveu, porém, a pobrezinha duelo tremendo entre a necessidade e o esgotamento. Exaustas as possibilidades de que dispunha, recorreu a parentes que se esquivaram cautelosos; apelou para amigos, que se mostraram indiferentes.

6.5 "As despesas, no entanto, cresciam sempre, implacáveis. A costura não lhe oferecia a compensação necessária. Visitava a mãezinha diariamente, ao crepúsculo, pondo-se a par da situação cada vez mais grave. Louca de angústia, bateu a todas as portas, e todas as portas permaneceram seladas. Incapaz de perscrutar aquela situação, em toda a sua profundeza, com a genitora, que naturalmente não lhe desejava o sacrifício, cedeu Julieta a insidioso convite. Passou a valer-se da noite, a fim de trabalhar numa casa de diversões, com o intuito exclusivo de agenciar mais dinheiro; cantaria e dançaria, melhorando a receita.

"Desde então, passou a representar o papel de uma ovelha assediada por feras, e, por mais que resistisse às solicitações dos sentidos, em dada circunstância não logrou furtar-se ao império das sensações. Atraída pelas propostas de um homem, aquele mesmo Paulino a quem a mãe se referira, não teve forças para resistir: aceitou-lhe a proteção prematura. Abandonou a máquina de costura e mudou-se do modesto quarto em que penosamente vivia.

Fixou-se, então, no centro de diversões noturnas, e, se comparecia a outros lugares, era sempre acompanhada por ele, interessado em tirar-lhe proveito da mocidade e beleza, qual cavalheiro vaidoso a ostentar uma joia.

"Julieta, no entanto, ocultava a realidade aos olhos maternos. Vestia-se com singeleza para a visita diária, e, quando se fez acompanhar de Paulino, pela primeira vez, no hospital, apresentou-o a Cândida na qualidade de simples amigo.

6.6

"As aflições sucessivas da menina alteraram-lhe, porém, a saúde. Achava-se extenuada, doente. Recordando os exemplos maternos, experimentava atrozes perturbações conscienciais. Os prazeres fáceis não lhe amainavam o coração sensível e afetuoso. O dinheiro abundante não lograva atenuar-lhe o desalento. À maneira que conquistava alheia admiração para os dotes físicos, parecia perder a paz de si mesma. Presa de incoercível abatimento, passava os dias e as noites sob os fortes atritos da própria razão. Por que não persistira na vida modesta até ao fim? Como não se confessar à mãezinha, obtendo-lhe a precisa orientação? Por outro lado, sentia-se desculpada: precisava da cooperação financeira de Paulino para socorrer aquela que lhe dera o ser; buscara recursos em todas as fontes que lhe pareceram limpas e acessíveis, e todas as mãos permaneciam cerradas aos seus rogos... Mas estaria procedendo com acerto? Não sentia coragem para tornar à oração de outros tempos. Debatia-se-lhe a mente, angustiada, entre as exigências do mundo material e as imperiosas postulações do espírito.

"No entanto" — concluiu Calderaro, atencioso —, "as preces maternas acompanhavam-na através do escabroso caminho. E Cândida não tem sofrido em vão. Colaboradora fiel de muitos serviços, é credora de muitas bênçãos..."

Depois de inteirar-me daquele drama comum a várias mulheres jovens dos nossos dias, segui o orientador até o aposento em que Julieta lhe receberia o socorro à organização psíquica em desvario.

6.7 Rememorando as palavras ouvidas dos lábios maternos, acolheu-se a jovem num divã, em pranto convulsivo. Torturantes pensamentos se lhe entrechocavam no cérebro enfermo. Vibrações pesadas, caracterizando-se pela cor muito escura, desciam-lhe da fronte e fixavam-se no aparelho respiratório. Represavam-se na pleura, invadiam os alvéolos e daí passavam ao coração, influenciando as trocas sanguíneas, momento em que a substância fluídica das emissões mentais se esvanecia, absorvida pelas artérias. Notei, porém, que esse material oriundo da mente perturbada, imprimindo-se no mecanismo fisiológico, era assimilado pelo sangue, que, a seu turno, o restituía ao cérebro físico, acumulando-se em todas as zonas deste, mais próximas da substância cinzenta.

Reparava, por isso, na jovem, não somente os olhos rubros e túrgidos de chorar, mas também os pródromos dos mais sérios distúrbios orgânicos.

Identificando as manifestas perturbações no cérebro e no bulbo raquiano, encarei o meu orientador e perguntei:

— Não estaremos aqui ante a misteriosa origem da encefalite letárgica?

— Muito mais do que isto — respondeu Calderaro, sorrindo —; a mente desvairada emite forças destrutivas, que, se podem atingir os outros, alcançam, em primeiro lugar, o cosmo orgânico do emissor. Decidindo-se Julieta por um gênero de vida que lhe provoca violentos e contínuos conflitos na mente, passou a despedir energias fatais sobre ela mesma. Dotada de distinta educação, haurida ao contato materno que lhe aprimorou as concepções e lhe enobreceu os sentimentos, incompatibilizou-se com uma existência de nível mais baixo na crosta planetária: a preparação do espírito ilumina invariavelmente. Possuindo, destarte, sublime claridade interior para a jornada humana, colheria naturalmente paz, alegria e edificação no exercício de suas faculdades femininas, desde que se lhe oferecesse um campo de luta em que sentisse a sadia manifestação dos poderes de sua alma. O casamento digno é o campo indicável ao seu caso de mulher nobilitada pelo conhecimento e pela virtude. Cedendo, no entanto, às tentações de que foi alvo, sente-se intimamente precipitada escada abaixo. Todos os dias é constrangida, no silêncio, a recordar a exemplificação da genitora, a reconsiderar a própria atitude diante da vida e a reconhecer que se encontra desajustada. Nesse atrito incessante, agravado pelas péssimas emissões fluídicas do ambiente de que se tornou frequentadora habitual, sua mente desce à região dos impulsos instintivos, experimentando extrema dificuldade em subir ao castelo das noções superiores, de onde a luz da consciência lhe dirige vigorosos apelos para que retorne à simplicidade e à harmonia. Tal situação impede-lhe a prece fervorosa, santificante e regeneradora, e daí o caos em que a pobrezinha tateia. É suficientemente educada para colher qualquer benefício do meio em que levianamente se projetou, e, dominada pela permanente angústia, faz demasiada pressão sobre a matéria cinzenta, dando causa a lamentáveis desequilíbrios orgânicos.

6.8 Calderaro interrompeu-se por alguns instantes, à maneira do professor que abre caminho à reflexão do aprendiz, e acrescentou sereno:

— Não está ela, pois, simplesmente ameaçada pela encefalite letárgica: avizinha-se da loucura com estádios por distúrbios vários, provocados pela disfunção celular. Não somente isto. Julieta, nas circunstâncias em que a observamos, pode ser atingida noutros centros vitais. É capaz de apanhar uma pleurisia como antecâmara para a tuberculose. Com facilidade será vítima de deploráveis intoxicações do sangue, que se caracterizarão por moléstias indefiníveis dos vasos ou da epiderme, sem excluir as desarmonias fatais do fígado, prováveis portadoras da ruína e morte para o veículo denso.

6.9 Chegados a este ponto das elucidações, o orientador ergueu os olhos e considerou:

— Mas... a Justiça divina jamais desconhece a compaixão. Às vezes, nossa queda precipitada constitui mero desastre parcial a que nos arrasta o desespero. A eterna Sabedoria examina o móvel de nossas ações e, sempre que possível, pronto nos reergue. Somente quando nos mergulhamos no total eclipse do amor e da razão, deliberadamente fugindo aos processos do socorro divino, mantendo-nos nas trevas completas do ódio e da negação, defrontamos com absoluta dificuldade de receber influências salvadoras; então, deveremos esperar os atritos cruéis do tempo, aliados às forças, de caráter compulsivo, das leis universais. Se a jovem não pode elevar-se a plano superior, como ave ferida pelo tiro de caçador impiedoso, a mãezinha doente permanece em poderosas orações transformadoras. Caiu a filha para socorrer-lhe o corpo, mas Cândida alcandorou-se mais por salvar-lhe a alma. Em vista disto, o amoroso poder de Cipriana agirá esta noite.

Calou-se o meu interlocutor, submetendo a lacrimosa menina ao auxílio magnético de nosso plano, subtraindo-lhe certa quantidade de material escuro, segregado pela própria mente e acumulado ao longo do cérebro, o que levou a efeito sem obstáculos dignos de menção. Todavia, como deixasse um tanto de tal substância na câmara cerebral, indaguei a causa dessa deliberação.

O amigo tomou significativa expressão fisionômica e esclareceu:

— Tenho instruções relativas ao caso. Julieta não deve receber hoje nosso concurso integral. Precisa manter-se enferma do corpo, de modo a ausentar-se das noitadas que costuma praticar. Em breves horas será conduzida, junto de Paulino, em espírito, ao quarto de Cândida, onde a irmã Cipriana pretende dirigir-se a ele, valendo-se das breves horas de desprendimento parcial pelo sono.

Compreendi tudo e, mais uma vez, admirei a ordem imanente na esfera do espírito.

6.10

Em seguida, conduziu-me Calderaro ao serviço de assistência a um irmão sofredor, cujo caso examinaremos no próximo capítulo, a fim de não perdermos o fio do processo de auxílio a Julieta.

Por volta das duas horas, em plena madrugada, regressou comigo o instrutor ao modesto aposento de Cândida; esta, fora do mirrado invólucro material, repousava nos braços de Cipriana, que lhe afagava a fronte com ternura de mãe.

A doente, gozando extrema lucidez, fora do campo fisiológico, respondeu-nos às saudações, tranquila e feliz. Outros amigos conservavam-se ao lado dela, reconfortando-a para o transe definitivo.

Permutávamos impressões, prazerosamente, quando dois irmãos de nosso plano penetraram o quarto, conduzindo Julieta e um cavalheiro que identifiquei por intuição.

Confirmou Calderaro, esclarecendo:

— É Paulino, que vem ouvir-nos.

Diante de Cipriana, que sustentava a enferma nos braços carinhosos, ajoelharam-se ambos instintivamente, chorando comovidos. Ajudados pela assistência magnética dos mensageiros que os traziam até nós, contemplavam-nos a todos, sob forte admiração, relevando, porém, notar que a luz de nossa benemérita instrutora lhes reclamava atenção maior. Sentiam-se humilhados e aflitos. Reconheciam, ali, a presença de alguma coisa do poder celestial.

Mantinham-se confundidos e em lágrimas, quando Cipriana se dirigiu ao moço, de maneira particular:

— Paulino, falo-te em nome da divina Justiça. Que o Senhor te abençoe, a fim de que me ouças com os ouvidos da razão! Escuta! Não supões Julieta digna de teu braço vigoroso e trabalhador para a jornada terrestre? Que fazes da mocidade? Uma simples aventura dos sentidos? Não interpretas a experiência humana como estrada preparatória da eternidade? Que juízo fazes da vida e dos seus sublimes dons? Não partilhes o ingrato labor dos nossos irmãos menos esclarecidos, que pretendem converter a mulher numa cobaia infeliz para o jogo dos sentidos. Dignifica a tua existência de homem, honrando o sacerdócio feminino. Renasceste na Terra, guardado por seu devotamento cresceste sob os cuidados maternos, e encontrarás, ainda, na mulher, o vaso dileto para os teus sonhos de paternidade criadora. Por que persistir no vaidoso domínio de uma criança pobre, por mero impulso de egoísmo e de ostentação? Não te confrange contemplar a prolongada aflição de Cândida, atormentada por atroz pesadelo, ante a incerteza dolorosa do porvir da filha? Desperta para os teus compromissos de natureza superior. Não vieste ao mundo simplesmente para gozar. A existência terrestre, meu amigo, é abençoado colégio de iluminação renovadora. Que motivos te impelem a um condenável procedimento? És bom e útil, inteligente e nobre. Por que te furtas à responsabilidade santificante?

6.11 Nesse momento, Paulino, que chorava sob insopitável comoção, não falou, mas emitiu pensamentos que se fizeram claros para nós.

"Não hesitaria quanto ao casamento" — ponderava, raciocinando —; "todavia, encontrara Julieta fora do santuário doméstico. Conhecera-a num círculo de pessoas menos responsáveis, em clima de sugestões que não convidavam à elevação espiritual. Não seria prudente defender-se? Não lhe constituía obrigação organizar o matrimônio em bases mais sólidas? Aproximara-se da jovem num clube noturno. Encontrara-a sem lar."

A irmã Cipriana alcançou-lhe as ponderações, porque tornou firme, após ligeira pausa:

— Perante o teu critério de homem de bem, as aflições de 6.1 Julieta a tornam credora de maior amparo. A pobrezinha não procurou uma casa de entretenimentos menos dignos, alimentando segundas intenções. Não lhe conheces, porventura, as preocupações absorventes de filha dedicada? Não sabes que seus pés ali buscavam trabalho e arrimo, proteção e recurso? Enquanto diligenciavas mera distração para a mente ociosa, Julieta vivia humilhações, tentando ganhar o remédio necessário à mãezinha enferma... Como absolver a ti mesmo e condená-la? Com que direito chasqueaste a respeitabilidade de uma jovem que visava a tão sagrados objetivos? Haverá vileza no Sol quando seus raios incidem no pântano? Será culpado o lírio que adereça um cadáver? Paulino, sacode a consciência adormentada pelas facilidades humanas! Ainda não sofreste quanto devias, para santificar e amar a vida. Não desprezes o ensejo que se te oferece! Coopera no resgate de jovem mulher que te não surgiu no caminho por mero acaso. O amor e a confiança não constituem obras de improviso: nascem sob a bênção divina, crescem com a luta e consolidam-se nos séculos. A simpatia, no mais das vezes, é a realização de milênios. Não te aproximarias de Julieta, com tamanho apego, se ela já não figurasse em teu pretérito espiritual. Dedica-te a ela, salva-a da loucura e da inutilidade. Oferece-lhe o braço de esposo, honrando a vida, antes que a morte te despedace o vaso físico nas mãos invencíveis. É mais nobre dar que receber, mais belo amar que ser amado, mais divino sacrificar-se que extorquir alheios sacrifícios. Não te cause mossa a crítica do mundo. A sociedade humana é venerável em seus fundamentos, mas injusta quando extermina os germes de regeneração espiritual para a vida superior, a pretexto de preservar-se. Vem a nós, Paulino! O Senhor abençoar-te-á o gesto digno. Amanhã Cândida viverá as horas derradeiras da atual existência. Dá-lhe a paz, restitui-lhe o bem-estar, pelo muito que se mortificou para conservar a filha em posição respeitável. Não permitas que o amor se perverta em tua alma. Santifica-o com a responsabilidade, fortifica-o com os teus dotes naturais, e a Providência estará ao teu lado por todo o sempre.

6.13 Calou-se a instrutora, mas de seu coração partiam raios de safirina luz, envolvendo o rapaz integralmente.

O cavalheiro ergueu os olhos lacrimosos, contemplando-a, reconhecido, e declarou:

— Recebo a vossa palavra como se fora a de minha mãe celestial. Fazei de mim o que vos aprouver. Estou pronto...

Cipriana depositou Cândida no invólucro físico, afetuosamente, e dirigiu-se ao jovem par, acrescentando:

— Que o Pai nos abençoe a todos.

Julieta e Paulino foram reconduzidos ao aposento do qual tinham vindo, e nós, de nossa parte, dilatamos a permanência no quarto da enferma, em auxílio ao "processo desencarnatório".

Às oito horas da manhã, Cipriana suprimiu-lhe a maior parte das forças. Chamado pela enfermeira vigilante, o médico prognosticou a morte próxima.

Reclamada a presença da filha, compareceu a jovem depois do meio-dia, seguindo-se-lhe Paulino, visivelmente comovido.

Que belo que é verificar a influência indireta do plano superior sobre os companheiros terrestres!

Como haviam procedido nas horas de sono carnal, assim, ao observarem a venerável senhora em plena agonia, ajoelharam-se ambos, lacrimosos, quase na mesma posição de horas antes.

Cândida fixou o rapaz em atitude suplicante e falou-lhe com dificuldade, embora Cipriana lhe não deixasse fugir as energias, mantendo a destra luminosa sobre a sua cabeça. A agonizante comentou, comovedoramente, a angústia que lhe torturava o espírito. Receava deixar a filha inexperiente no mundo, à mercê das tentações. Apelava para o cavalheirismo de Paulino, que a não deixou terminar. De olhos rasos d'água, colocou o indicador nos lábios da respeitável moribunda, confortando-a.

— Dona Cândida — disse atencioso —, não fale mais nisso. Amanheci hoje com um propósito irremovível: Julieta e eu nos casaremos, dentro em poucos dias. Amanhã mesmo iniciaremos o processo de legalização do nosso compromisso, antes que qualquer circunstância interfira por empecer nossos desejos. Fique, pois, descansada. A partir de agora, sou também seu filho.

A agonizante, chorando copiosamente, fez um sinal.

Julieta aproximou-se, enquanto Paulino colava o rosto aos seus cabelos prematuramente encanecidos. Foi então que Cândida, amparada por Cipriana, lhes uniu as mãos, num gesto simbólico, osculando-as enternecidamente.

Foi seu derradeiro movimento no corpo exausto. Em breves minutos, as pálpebras físicas cerraram-se para sempre, enquanto os olhos espirituais se abririam entre nós, para a contemplação dos trilhos refulgentes da Eternidade.

7
Processo redentor

7.1 Retirando-nos do hospital, na noite que precedeu à desencarnação de Cândida, o assistente observou:

— Não temos tempo a perder.

Efetivamente, o trabalho de socorro à prezada enferma absorvera-nos algumas horas.

— Nosso esforço — continuou o prestimoso amigo — tem por especial escopo impedir a consumação dos processos tendentes à loucura. A rede de amparo espiritual, neste sentido, é quase infinita. A positiva declaração de desarmonia mental constitui sempre o término de longa luta. Claro está que não incluímos aqui os casos puramente fisiológicos, mormente tratando-se da invasão da sífilis na matéria cerebral; reportamo-nos aos dramas íntimos da personalidade prisioneira da introversão, do desequilíbrio, dos fenômenos de involução, das tragédias passionais, episódios esses que deflagram no mundo, aos milhares por semana. Nas esferas imediatas à luta do homem vulgar, onde nos achamos presentemente, são inúmeras as organizações socorristas dessa natureza. É imprescindível 7.2 amparar a mente humana na crosta planetária, em seus deslocamentos naturais. A vasta escola terrestre exige incessante e complexa colaboração espiritual. Indubitavelmente, a divina Sabedoria não se descuidou da programação prévia de serviço neste particular. Se encarregou a Ciência de superintender o desdobramento harmonioso dos fenômenos pertinentes à zona física, se incumbiu a Filosofia de acompanhar essa mesma Ciência, enriquecendo-lhe os valores intelectuais, confiou à Religião a tarefa de velar pelo desenvolvimento da alma, propiciando-lhe abençoadas luzes para a jornada de ascensão. A crença religiosa, todavia, mormente nos últimos anos, tem-se revelado incapaz de tal cometimento: falta-lhe pessoal adequado. Enquanto a edificação científica no mundo se apresenta qual árvore gigantesca, abrigando, em seus ramos refertos de teorias e raciocínios, as inteligências encarnadas, a Religião, subdividida em numerosos setores, dá a ideia de erva raquítica, a definhar no solo. O Amor divino, porém, não ignora os obstáculos que assoberbam os círculos da fé. Se à investigação do conhecimento basta o valor intelectual, o problema religioso demanda altas possibilidades de sentimento. A primeira requer observação e persistência; o segundo, todavia, implica vocação para a renúncia. À vista disto, colaborando com os trabalhadores decididos, inúmeras legiões de auxiliares invisíveis ao olhar humano se desdobram, em toda parte, socorrendo os que sofrem, incentivando os que esperam firmemente no bem, melhorando sempre. Nosso esforço, portanto, em torno da mente encarnada, é extenso e múltiplo. Forçoso é convir, no entanto, que, se o programa dá motivo a preocupações, é também fonte de prazer. Experimentamos o contentamento de irmãos mais velhos, capazes de prestar auxílio aos mais novos. Indiscutivelmente, somos, em humanidade, uma só família.

7.3 Verificando-se pausa natural nos esclarecimentos de Calderaro, indaguei curioso:

— Como se opera, entretanto, a administração de tais auxílios? Indiscriminadamente?

— Não — explicou o interpelado —, o senso de ordem preside-nos à atividade em todas as circunstâncias. Quase sempre é a força intercessora que determina os processos de ajuda. A prece, representada pelo desejo não manifestado, pelas aspirações íntimas ou pelas petições declaradas, proveniente da zona superior ou surgida do fundo vale, onde se agitam as paixões humanas, é, a rigor, o ascendente de nossas atividades.

Dispunha-me a formular certa pergunta, oriunda de velhas concepções do separatismo religioso, quando Calderaro, percebendo-me a ponderação prestes a exprimir-se, acrescentou calmo:

— Não aludimos, aqui, a orações ou a aspirações de correntes idealísticas determinadas: o dístico não interessa. Colaboramos com o Espírito eterno em sua ascensão à zona divina, aduzindo novas forças ao bem, onde ele se encontre, independentemente de fórmulas dogmáticas, ou não, com que ele se manifeste nos círculos humanos. Nosso problema não é de favoritismo, senão de Espiritualidade superior, mercê da união dos valores substanciais, em favor da vida melhor.

A essa altura das lições que eu recebia em forma de palestra ligeira, enquanto nos movimentávamos em serviço, atingíamos residência de aspecto simples, que se distinguia pelo jardim bem cuidado, em toda a volta.

— Temos, aqui — disse-me o instrutor —, indefesso companheiro de outras épocas, reencarnado em dolorosas condições. De algumas semanas para cá, assisto-lhe a mãezinha com passes reconfortantes. Em virtude da horrível estrutura orgânica do filho, a ela encadeado há muitos séculos, a razão da pobrezinha está periclitando; prendem-se mutuamente por grilhões de graves compromissos.

Considerando-lhe o nobre costume da oração em horário prefixado, valemo-nos dessas ocasiões para vir-lhe em amparo.

Admirando a ordem instituída para os quefazeres de nosso plano, e que transparecia nas mínimas ações, silenciosamente acompanhei Calderaro ao interior doméstico.

Em rápidos minutos achávamo-nos em pequena câmara, onde magro doentinho repousava, choramingando. Cercavam-no duas entidades tão infelizes quanto ele mesmo, pelo estranho aspecto que apresentavam. O menino enfermo inspirava piedade.

— É paralítico de nascença, primogênito de um casal aparentemente feliz, e conta 8 anos na existência nova — informou Calderaro, indicando-o. — Não fala, não anda, não chega a sentar-se, vê muito mal, quase nada ouve da esfera humana; psiquicamente, porém, tem a vida de um sentenciado sensível, a cumprir severa pena, lavrada, em verdade, por ele próprio. Há quase dois séculos, decretou a morte de muitos compatriotas numa insurreição civil. Valeu-se da desordem político-administrativa para vingar-se de desafetos pessoais, semeando ódio e ruínas. Viveu nas regiões inferiores, apartado da carne, inomináveis suplícios. Inúmeras vítimas já lhe perdoaram os crimes; muitas, contudo, seguiram-no, obstinadas, anos afora... A malta, outrora densa, rareou pouco a pouco, até que se reduziu aos dois últimos inimigos, hoje em processo final de transformação. Com as lutas acremente vividas, em sombrias e dantescas furnas de sofrimento, o desgraçado aprestou-se para esta fase conclusiva de resgate; conseguiu, assim, a presente reencarnação com o propósito de completar a cura efetiva, em cujo processo se encontra faz muitos anos.

A paisagem era triste e enternecedora. O doente, de ossos enfezados e carnes quase transparentes, pela idade deveria ser uma criança bela e feliz; ali, entretanto, se achava imóvel, a emitir gritos e sons guturais, próprios da esfera sub-humana.

7.5   Com o respeito devido à dor e com a observação imposta pela Ciência, verifiquei que o pequeno paralítico mais se assemelhava a um descendente de símios aperfeiçoados.

— Sim, o espírito não retrocede em hipótese alguma — explicou Calderaro —; todavia, as formas de manifestação podem sofrer degenerescência, de modo a facilitar os processos regenerativos. Todo mal e todo bem praticados na vida impõem modificações em nosso quadro representativo. Nosso desventurado amigo envenenou para muito tempo os centros ativos da organização perispiritual. Cercado de inimigos e desafetos, frutos da atividade criminosa a que se consagrou voluntariamente, permanece quase embotado pelas sombras resultantes dos seus tremendos erros. No campo consciencial, chora e debate-se, sob o aguilhão de reminiscências torturantes que lhe parecem intérminas; mas os sentidos, mesmo os de natureza física, mantêm-se obnubilados, à maneira de potências desequilibradas, sem rumo... Os pensamentos de revolta e de vingança, emitidos por todos aqueles aos quais deliberadamente ofendeu, vergastaram-lhe o corpo perispiritual por mais de cem anos consecutivos, como choques de desintegração da personalidade, e o infeliz, distante do acesso à zona mais alta do ser, onde situamos o "castelo das noções superiores", em vão se debateu no "campo do esforço presente", isto é, à altura da região em que localizamos as energias motoras; é que os adversários implacáveis, apegando-se a ele, por meio da influência direta, compeliram-lhe a mente a fixar-se nos impulsos automáticos, no império dos instintos; permitiu a Lei que assim acontecesse, naturalmente porque a conduta de nosso infortunado irmão fora igual à do jaguar que se aproveita da força para dominar e ferir. Os abusos da razão e da autoridade constituem faltas graves ante o eterno governo dos nossos destinos.

O estimado assistente fitou-me com seus olhos muito lúcidos e perguntou:

— Compreendeste?

Como desejasse ver-me suficientemente esclarecido, acrescentou:

— Espiritualmente, este pobre doente não regrediu. Mas o processo de evolução, que constitui o serviço do espírito divino, através dos milênios, efetuado para glorioso destino, foi por ele mesmo (o enfermo) espezinhado, escarnecido e retardado. Semeou o mal, e colhe-o agora. Traçou audacioso plano de extermínio, valendo-se da autoridade que o Pai lhe conferira, concretizou o deplorável projeto e sofre-lhe as consequências naturais de modo a corrigir-se. Já passou a pior fase. Presentemente, já se afastou do maior número de inimigos, aproximando-se de amoroso coração materno, que o auxilia a refazer-se, ao término de longo curso de regeneração.

Reparando a estranha atitude dos infelizes desencarnados que o seguiam, pretendia indagar algo relativamente a eles, quando Calderaro veio ao encontro de meus desejos, continuando:

— Também os míseros perseguidores são duendes do ódio e da vingança, como o nosso enfermo é um remanescente do crime. São náufragos na derradeira fase de salvação, após enorme hecatombe no mar da vida, onde se perderam por muitos anos, por incapazes de usar a bússola do perdão e do bem. Aproximam-se, porém, do porto socorrista. Voltarão ao Sol da existência terrestre, por intermédio de um coração de mulher que compreendeu com Jesus o valor do sacrifício. Em breve, André, consoante o programa redentor já delineado, ingressarão neste mesmo lar na qualidade de irmãos do antigo adversário. E quando entrelaçarem as mãos sobre ele, consumindo energias por ajudá-lo, assistidos pela ternura de abnegada mãe, amorosa e justa, beijarão o velho inimigo com imenso afeto. Transmudar-se-ão as negras algemas do ódio em alvinitentes liames de luz, nos quais refulgirá o amor eterno. Chegado esse tempo, a força do perdão restituirá nosso doente à liberdade; largará ele, qual pássaro feliz, este mirrado corpo físico, sufocante cárcere do crime e suas consequências, no qual se debateu por quase dois séculos. Até lá, importa zelar com empenho pela valorosa mulher que é essa, vestalina senhora deste lar, em quem as Forças divinas respeitam a vocação para o martírio, por iluminar a vida e enriquecer a obra de Deus.

7.7 Mal terminava Calderaro as elucidações, quando um dos verdugos desencarnados se moveu e tocou com a destra o cérebro do doentinho, recomendando-me o assistente examinasse os efeitos desse contato.

Extrema palidez e enorme angústia transpareceram no semblante do paralítico. Notei que a infeliz entidade emitia, pelas mãos, estrias negras de substância semelhante ao piche, as quais atingiam o encéfalo do pequenino, acentuando-lhe as impressões de pavor.

Dirigi ao assistente um olhar interrogativo, e Calderaro informou:

— Se o amor emite raios de luz, o ódio arremessa estiletes de treva. Nos lobos frontais recebemos os "estímulos do futuro", no córtex abrigamos as "sugestões do presente", e no sistema nervoso, propriamente dito, arquivamos as "lembranças do passado". Nosso pobre amigo está sendo "bombardeado" por energias destrutivas do ódio na região de "serviços do presente", isto é, em suas capacidades de crescimento, de realização e de trabalho nos dias que correm. Tal situação, derivante da culpa, compele-o a descer mentalmente para a zona de "reminiscências do passado", onde o seu comportamento é inferior, raiando pela semi-inconsciência dos estados evolucionários primitivos. Esmagadora maioria dos fenômenos de alienação psíquica procede da mente desequilibrada. Repara o cosmo orgânico.

O doentinho, da aflição, em que se mergulhara, passou às contorções, evidenciando todos os característicos da idiotia clássica. Os órgãos revelavam agora estranhos deslocamentos. O sistema endócrino patenteava indefiníveis perturbações.

Compadecido, inclinou-se o instrutor sobre o doente e esclareceu:

— Os raios destrutivos alcançam-lhe a zona motora, provocando a paralisação dos centros da fala, dos movimentos, da audição, da visão e do governo de todos os departamentos glandulares. Na verdade, essa dolorosa situação tornou-se crônica pela repetição desta ocorrência milhares de vezes, em quase duas centenas de anos.

Fez intervalo significativo e tornou:

— Examina a conduta do enfermo. Fixando a mente na extrema "região dos impulsos automáticos", seu padrão de comportamento é efetivamente sub-humano. Volta a viver estados primários, dos quais a individualidade já emergiu há muitos séculos. Em outros casos menos graves, a Medicina atual vem utilizando a terapêutica do choque, à maneira do experimentador que investiga nas sombras, examinando efeitos e ignorando as causas. Cumpre-nos, no entanto, reconhecer que o belo esforço da psiquiatria moderna merece o maior carinho de nossas autoridades espirituais, que patrocinam os médicos diligentes e devotados, orientando-os para o bem comum, simultaneamente em diversos centros culturais; por enquanto, não podem aceitar a verdade como seria de desejar, em virtude da necessidade de guardar-se a medicina terrena em campo conservador, menos aberto aos aventureiros; todavia, mais tarde os sacerdotes da saúde humana compreenderão que o choque elétrico, ou a hipoglicemia, provocada pela invasão da insulina, constituem apelos vivos aos centros do organismo perispirítico, convocando-os ao reajustamento e compelindo os neurônios a se readaptarem para o serviço da mente em processo regenerador. A bem dizer, é de notar que esse recurso às reservas profundas do cosmo psíquico não é novo. Outrora, as vítimas da loucura eram conduzidas a poços de víboras, a fim de que a aborrível[10] comoção operasse a transformação súbita da mente desequilibrada; é que, desde remota antiguidade, compreendeu o homem, intuitivamente, que a maioria dos casos de alienação mental decorre da ausência voluntária ou involuntária da alma à realidade. E, em nosso campo de observação mais clara, podemos adir que todo desequilíbrio promana do afastamento da Lei.

7.9   Silenciou Calderaro por alguns instantes e, em seguida, indicou o pequeno, acentuando:

— Neste caso, porém, o choque aplicado pela ciência dos homens não surtiria vantagem alguma. Estamos perante o eclipse total da mente, pela total ausência da Lei com que se conduziu o interessado no socorro. A retificação, aqui, reclama tempo. As águas pantanosas do mal, longamente represadas no coração, não se escoam facilmente. O plano mental de cada um de nós não é vaso de conteúdo imaginário: é repositório de forças vivas, qual o veículo físico de manifestação, que nos é próprio, enquanto peregrinamos na crosta planetária.

— Não estamos, porém, cientificamente falando — indaguei —, diante de um caso típico de mongolismo?[11]

O assistente respondeu sem se embaraçar:

— Acompanhamos um fenômeno de desequilíbrio espiritual absoluto. Em situações raríssimas, teremos perturbações dessa natureza com causas substancialmente fisiológicas. Impossível é desconhecer, na esfera carnal, o paralelismo psicofísico. Quem vive na crosta terrestre terá sempre a defrontar com a forma perecível, em primeiro lugar. Daí, não podermos excluir da patologia da alma o

---

[10] N.E.: Que causa horror, aborrecimento.

[11] N.E.: Na época em que esta obra foi escrita, esse termo era comum, mas atualmente é considerado pejorativo e/ou preconceituoso. Síndrome de Down ou Trissomia do cromossoma 21 é um distúrbio genético causado pela presença de um cromossomo 21 extra, total ou parcialmente.

envoltório denso, nem menosprezar a colaboração dos fisiologistas abnegados, que atentos se dedicam às investigações da fauna microscópica, do reajustamento das formas, do quadro dos efeitos. Não nos esqueça, contudo, que analisamos agora o domínio das causas...

O desvelado amigo parecia disposto a prosseguir, dilatando-me os conhecimentos a respeito do assunto, quando ouvimos passos de alguém que se aproximava. Certo, a dona da casa vinha ao aposento da criança, à procura do socorro da oração.

Concluiu Calderaro, apressadamente:

— Nossos companheiros da medicina humana batizam as moléstias mentais como lhes apraz, detendo-se nas questões da periferia, por distraídos dos problemas fundamentais do espírito. Relativamente aos assuntos científicos, conversaremos amanhã, quando prestaremos assistência a jovem amigo.

Nesse momento, a mãezinha, que ainda não contava 30 anos, acercou-se do enfermo, sem se dar conta de nossa presença espiritual. Estacou, tristonha, de pé junto ao berço, afagando-lhe a fronte aljofrada de suor, ao termo das contorções finais. Afastou a colcha rendada, levantou-o, cuidadosa, e abraçou-o, ungindo-o com o mais terno dos carinhos.

O menino aquietou-se.

Logo após, a genitora entrou a orar, banhada em lágrimas, afigurando-se-me um cisne da região espiritual a desferir maravilhoso cântico.

Enquanto Calderaro operava, reparando-lhe as forças nervosas em verdadeira transfusão de fluidos sadios que o dedicado colaborador transferia de si próprio, eu, de minha parte, acompanhava com vivo interesse a prece maternal.

A jovem senhora entremeava de ponderações humanas a cordial rogativa.

Por que não a ouvia o Senhor, nos altos céus, permitindo um milagre que restituísse o filhinho ao equilíbrio tão necessário? Casara-se, havia nove anos, sonhando um jardim doméstico, repleto de rebentos felizes; entretanto, a primeira flor de suas aspirações femininas ali se encontrava ironicamente aberta, numa fácies[12] horrível de monstruosidade e de sofrimento... Por quê, interrogava súplice, nasciam crianças na Terra com a destinação de tamanha angústia? Por que o martirológio dos seres pequeninos? Em vão percorrera gabinetes médicos e ouvira especialistas. Sempre as mesmas decepções, os mesmos desenganos. O filhinho parecia inacessível a qualquer tratamento. Sentia-se frágil e extenuada... E chorava, implorando a bênção divina, para que as energias lhe não faltassem na luta.

7.11 Calderaro, finda a tarefa que lhe competia, acercou-se de mim, perguntando:

— Desejas responder à rogativa, em nome da Inspiração superior?

Oh! não! Declinei de tal convite alegando que isso me era de todo impraticável, depois de haver ouvido irmã Cipriana renovando corações com o verbo inflamado de amor.

Objetou o orientador num gesto bondoso:

— Aqui, porém, não falaremos a corações que odeiam, e sim a torturado espírito materno, que reclama estímulo fraternal. O conhecimento e a boa vontade podem fazer muito.

Sorriu, benevolente, e acrescentou:

— Ao demais, é necessário diplomar-nos também na ciência do amor. Para isso, comecemos a ser irmãos uns dos outros, com sinceridade e fiel disposição de servir.

Agradeci, comovido, a deferência, mas esquivei-me. Falaria ele mesmo, Calderaro. Minha condição era a do aprendiz. Ali me encontrava para ouvir-lhe as sublimes lições.

---

[12] N.E.: O mesmo que face.

O abnegado amigo colocou as mãos sobre os lobos frontais dela, como atraindo a mente materna para a região mais elevada do ser, e passou a irradiar-lhe tocantes apelos, como se lhe fora desvelado pai falando ao coração. Fundamente sensibilizado, assinalava-lhe as palavras de ânimo e de consolação, que a afetuosa mãezinha recebia em forma de ideias e sugestões superiores.

7.1

Notei que a disposição íntima da jovem senhora tomava pouco a pouco um renovado alento. Observei que na epífise lhe surgira suave foco de claridade irradiante e que de seus olhos começaram a brotar lágrimas diferentes. A claridade branda, fluindo do cérebro, desceu para o tórax, de onde, então, se evolaram tênues fios de luz que a ligaram ao filhinho infeliz. Contemplou o pequeno, agora calmo, através do espesso véu de pranto e ouviu-lhe os pensamentos sublimes.

Sim, Deus não a abandonaria — meditava —; dar-lhe-ia forças para cumprir até ao fim o cometimento que tomara a ombros, com a beleza do primeiro sonho e com a ventura da primeira hora. Sustentaria o desventurado rebento de sua carne como se fora um tesouro celeste. Seu amor avultaria com os padecimentos do filhinho muito amado; seus sacrifícios de mãe seriam mais doces, toda vez que a dor o visitasse com maior intensidade. Não era ele mais digno de seu devotamento e renúncia pela aflitiva condição em que nascera? Os filhos de antigas companheiras eram formosos e inteligentes, como botões perfumados da vida, prometendo infinitas alegrias no jardim do futuro; também seu pequenino paralítico era belo, necessitando, porém, de mais blandícia e arrimo. Saberia Deus por que viera ele ao mundo sem a faculdade da palavra e sem manifestações de inteligência. Não lhe bastaria confiar no supremo Pai? Serviria ao Senhor sem indagar; amaria seu filho pela eternidade; morreria, se preciso fora, para que ele vivesse.

7.13   Num transporte de indefinível carinho, a jovem mãe inclinou-se e beijou o doentinho nos lábios, com o júbilo de quem osculasse um anjo celestial. Vi, surpreendido, que numerosas centelhas de luz se desprendiam do contato afetivo entre ambos e se derramavam sobre as duas entidades inferiores; estas, de sua parte, se inclinaram também, como que menos infelizes, perante aquela nobre mulher que mais tarde lhes serviria de mãe.

Calderaro tocou-me de leve o ombro e informou:

— Nosso trabalho de assistência está findo. Vamo-nos.

E, indicando mãe e filho juntos, concluiu:

— Examinando essa criança sofredora como enigma sem solução, alguns médicos insensatos da Terra se lembrarão talvez da "morte suave"; ignoram que, entre as paredes deste lar modesto, o Médico divino, utilizando um corpo incurável e o amor, até o sacrifício, de um coração materno, restitui o equilíbrio a espíritos eternos, a fim de que sobre as ruínas do passado possam irmanar-se para gloriosos destinos.

8
No santuário da alma

8.1   Noite fechada. Calderaro e eu penetramos casa confortável e nobre, onde o instrutor, segundo prometera, me proporcionaria alguns esclarecimentos novos com referência aos desequilíbrios da alma.

— Não é caso tão grave quanto aquele do paralítico que visitamos — adiantou o prestimoso orientador —; trata-se, a bem dizer, de questão quase vencida. Há muito tempo assisto Marcelo com fluidos reconfortantes, e a sua situação é de triunfo integral. Dócil à nossa influência, encontrou na prece e na atividade espiritual o suprimento de energias de que necessitava. Vimos ontem um caso de destrambelho total dos elementos perispiríticos, com a consequente desagregação do sistema nervoso, em doloroso quadro que só o tempo corrigirá. Aqui, entretanto, a paisagem é outra. O problema de perturbação essencial já está resolvido, o reajustamento da vida surgiu pleno de esperanças novas, a paz regressou ao tabernáculo orgânico, mas perseveram ainda as recordações, os remanescentes dos dramas vividos no passado aflorando sob forma de fenômenos epileptoides,[13] as ações reflexas da alma, que emergem de vasto e intricado túnel de sombras e que tornam, em definitivo, ao império da luz. Se o mal demanda tempo para fixar-se, é óbvio que a restauração do bem não pode ser instantânea. Assim ocorre com a doença e a saúde, com o desvio e o restabelecimento do equilíbrio.

Após atravessar o pórtico, dirigimo-nos, devidamente autorizados, ao interior, onde agradavelmente me surpreendeu encantadora cena de piedade doméstica: um cavalheiro, uma senhora e um rapaz achavam-se imersos nas divinas vibrações da prece, cercados de grande número de amigos do nosso plano.

8.2

Fomos recebidos amorosamente.

Convidou-me o orientador a colaborar nos trabalhos em curso, uma vez que, com a valiosa cooperação daqueles três companheiros encarnados, se prestavam a irmãos recém-libertos da crosta reais auxílios, de modalidades várias.

Digna de registro era a respeitável beleza daquela reduzida assembleia, consagrada ao bem e à iluminação do espírito.

Admirando a harmonia daqueles três corações unidos nos mesmos nobres pensamentos e propósitos, e que miríficos fios de luz entrelaçavam, o assistente amigo comentou com oportunidade:

— A família é uma reunião espiritual no tempo, e, por isto mesmo, o lar é um santuário. Muitas vezes, mormente na Terra, vários de seus componentes se afastam da sintonia com os mais altos objetivos da vida; todavia, quando dois ou três de seus membros aprendem a grandeza das suas probabilidades de elevação, congregando-se intimamente para as realizações do espírito eterno, são de esperar maravilhosas edificações.

---

[13] N.E.: Que lembra ou se assemelha à epilepsia ou suas manifestações.

8.3   Compreendi que o instrutor estimaria prestar-me outros esclarecimentos, ampliando a santificante concepção da família; contudo, o serviço urgente não nos permitia mais longa palestra.

O trabalho de socorro a irmãos sofredores prosseguiu ativo, em "nosso lado".

Terminado o concurso do trio familiar, com expressiva e comovedora oração, começou a retirada dos companheiros de nossa esfera, enquanto os amigos encarnados entraram em carinhosa conversação.

O cavalheiro, com o sorriso feliz do trabalhador que bem cumpriu o dever, dirigiu-se aos circunstantes em voz alta:

— Graças a Deus, tudo normal.

Encarando o rapaz com imensa ternura paternal, indagou:

— E você, Marcelo, continua bem?

— Oh! sem dúvida — respondeu o interpelado, alegre. — Estou maravilhado, papai, com os excelentes resultados que venho colhendo em nossas reuniões das quintas-feiras.

— Têm voltado os ataques noturnos?

— Não. À proporção que me esforço no conhecimento das verdades divinas, cooperando com a minha própria vontade no terreno da aplicação prática das lições recebidas, sinto que passo cada vez melhor, que me reforço intimamente, recuperando a saúde perdida. Reconheço também que, desinteressando-me da edificação espiritual, distraído da minha necessidade de elevação, voltam as perturbações com intensidade. Nessas fases nocivas, desperto alta noite com os membros cansados e doloridos, e assaltam-me evidentes sinais das convulsões, deixando-me longos momentos sem sentido...

O jovem sorriu a esta sua singela confissão filial e prosseguiu:

— Felizmente, porém, agora que me consagro, zeloso e assíduo, à tarefa espiritualizante, reconheço que os passes de mamãe são mais eficientes. Estou mais receptivo e observo que a boa vontade é fator decisivo em meu bem-estar.

Os ouvintes entreolharam-se contentes, e o entendimento íntimo continuou, edificante, repleto de belas sugestões.

O assistente, preparando-me o raciocínio, informou:

— Certo, não precisarei de esclarecer que Marcelo se entretém com os pais. Possui outros irmãos que ainda não se afinam com a sagrada missão do casal. Ele, porém, é portador de sentimentos elevados e generosos. Tem, como quase todos nós, um pretérito intensamente vivido nas paixões e excessos da autoridade. Exerceu, outrora, enorme poder de que não soube usar em sentido construtivo. Senhor de vigorosa inteligência, planou em altos níveis intelectuais, de onde nem sempre desceu para confortar ou socorrer. Portador de vários títulos honoríficos, muita vez os esqueceu, precipitando-se na vala comum dos caprichos criminosos. Impôs-se pelo absolutismo, e intensificou a lavra de espinhos que o dilacerariam mais tarde. Chegada a colheita de nefanda messe, experimentou sofrimentos atrozes. Inúmeras vítimas o esperavam além do sepulcro e arremeteram contra ele. Entretanto, se errou clamorosamente, Marcelo, em muitas ocasiões, desejou ser bom e formou dedicações valiosas em torno de seu nome; tais devotamentos, contudo, houveram que aguardar oportunidade por auxiliá-lo. Os inimigos eram massa compacta e gritavam furiosamente, invocando a justiça vulgar; retiveram-no longo tempo nas regiões inferiores, saciaram velhos propósitos de vingança, seviciando-lhe a organização perispiritual. Marcelo, em plena sombra da consciência, rogou, chorou e penitenciou-se vastos anos. Por mais que suplicasse e por muito que insistissem os elementos intercessores, a ansiada libertação demorou muitíssimo, porque o remorso é sempre o ponto de sintonia entre o devedor e o credor, e o nosso amigo trazia a consciência fustigada de remorsos cruéis. Os desequilíbrios perispíríticos flagelaram-no, assim, logo que atravessou o pórtico do túmulo, obstinando-se anos a fio...

Feito breve intervalo nas explicações, acrescentei curioso:

8.5 — Isso quer, então, dizer que o fenômeno epileptoide...

— ...mui raramente ocorre por meras alterações no encéfalo, como sejam as que procedem de golpes na cabeça — elucidou o assistente, cortando-me a observação reticenciosa —, e, geralmente, é enfermidade da alma, independente do corpo físico, que apenas registra, nesse caso, as ações reflexas. Longe vai o tempo em que a razão admitia o paraíso ou o purgatório como simples regiões exteriores: céu e inferno, em essência, são estados conscienciais; e, se alguém agiu contra a Lei, ver-se-á dentro de si mesmo em processo retificador, tanto tempo quanto seja necessário. Ante a realidade, portanto, somos compelidos a concluir que, se existem múltiplas enfermidades para as desarmonias do corpo, outras inúmeras há para os desvios da alma.

O instrutor fez pausa curta, apontou para o rapaz e continuou:

— Mas, regressando às informações a respeito de Marcelo, cabe-me dizer-te que, pouco a pouco, esgotou ele as substâncias mais pesadas do fundo cálice de provas. Longos anos de desequilíbrio, em que as vítimas, tornadas em algozes, o abalaram com tremendas convulsões, por meio de choques e padecimentos inenarráveis, clarearam-lhe os horizontes internos, tendo nosso irmão afinal logrado entender-se com prestimoso e sábio orientador espiritual, a quem se liga desde remoto passado. Foi socorrido e amparado. Indagou, ansioso, por almas que lhe eram particularmente queridas, sendo-lhe cientificado que os seus laços mais fortes já se encontravam de novo na carne, em testemunhos e labores dignificantes. Suplicou a reencarnação, prometeu aceitar compromissos de concurso espiritual na crosta, a fim de resgatar os enormes débitos, colaborando no bem e na evolução dos inimigos de outrora, e conseguiu a dádiva, apoiado por abnegado mentor que o estima de muitos séculos. Tornou à esfera carnal e reiniciou o aprendizado. Ultimamente, renasceu, estreitado em braços carinhosos, aos quais se sente vinculado no curso de várias existências vividas em comum. Agora, sinceramente aproveitando as bênçãos recebidas, desde os mais tenros anos, preocupa-se em reajustar as preciosas qualidades morais; caracteriza-se, desde menino, pela bondade e obediência, docilidade e ternura naturais. Passou a infância tranquilo, embora continuamente espreitado por antigos perseguidores invisíveis. Não se achava a eles atraído, em virtude do serviço regenerador a que se submetera; mas ao topar com algum dos adversários, nos minutos de parcial desprendimento propiciado pelo sono físico, sofria amargamente com as recordações. Tudo prosseguia sem novidades dignas de menção. Sob a vigilância dos pais e com o amparo dos benfeitores invisíveis, preparava-se o menino para os trabalhos futuros. Contudo, logo que se lhe consolidou a posse do patrimônio físico, ultrapassados os 14 anos de idade, Marcelo, com a organização perispiritual plenamente identificada com o invólucro fisiológico, passou a rememorar os fenômenos vividos, e surgiram-lhe as chamadas convulsões epilépticas com certa intensidade. O rapaz, todavia, encontrou imediatamente os antídotos necessários, refugiando-se na "residência dos princípios nobres", isto é, na região mais alta da personalidade, pelo hábito da oração, pelo entendimento fraterno, pela prática do bem e pela Espiritualidade superior. Limitou, destarte, a desarmonia neuropsíquica e reduziu a disfunção celular, reconquistando o próprio equilíbrio, dia a dia, mobilizando as armas da vontade. Nesse esforço, dentro do qual se fez extremamente simpático, recebeu vultosa colaboração de nossa esfera, aproveitando-a integralmente pela adesão criteriosa ao esforço construtivo do bem. Recebendo a luta com serenidade e paciência, instalou em si mesmo valiosas qualidades receptivas, favorecendo-nos o concurso e dispensando, por isso mesmo, a terapêutica dos hipnóticos ou dos choques, a qual, provocando estados anormais no organismo perispirítico, quase sempre nada consegue senão deslocar os males, sem os combater nas origens. O caso de Marcelo oferece por isto características valiosas. Atendendo as sugestões daqueles que o beneficiam, adaptando-se à realidade, vem sendo o médico de si mesmo, única fórmula em que o enfermo encontrará a própria cura.

8.7   Nesse instante, o rapaz despedia-se delicadamente dos pais, retirando-se para o quarto particular, onde se recolheu ao leito, após abluir a mente em pensamentos de paz e de gratidão a Deus.

Dentro de breves minutos afastava-se do veículo denso e vinha ter conosco, saudando Calderaro com especial carinho.

O assistente apresentou-me afável.

Mostrava o jovem profunda lucidez. Abraçado a nós ambos, com inequívocas demonstrações de alegria, comentou suas esperanças no porvir. Expôs-nos ardente desejo de trabalhar pela difusão do Espiritismo evangélico, disposto a colaborar na obra edificante que os genitores vêm realizando. Referiu-se, para admiração minha, às atividades de nossa colônia espiritual, indagou das minhas impressões de Nosso Lar, seduzindo-me pela oportunidade de conceitos e pela beleza das apreciações inteligentes e espontâneas[14].

Ia a conversação pelo meio, quando dois vultos sombrios cautelosamente se aproximaram de nós. Quem seriam, senão míseros transeuntes desencarnados? Inteiramente distraído, continuei nos comentários humildes, mas o estimado interlocutor perdeu visivelmente a calma. Qual se fora tocado no íntimo por forças perturbadoras, Marcelo empalideceu, levou a destra ao peito e arregalou os olhos desmesuradamente. Reparei que as ideias lhe baralhavam no cérebro perispiritual, que não conseguia

---

[14] Nota do autor espiritual: Referência ao livro *Nosso lar*.

ouvir-nos com tranquilidade, e, desprendendo-se, célere, de nossos braços, correu desabalado, retornando ao corpo.

Quis detê-lo, penalizado, pois conosco estava perfeitamente sintonizado; algo mais forte que o conhecimento cordial unia-me ao novo amigo, o que reconheci desde o primeiro contato; não pude, porém, fazê-lo.

Reteve-me Calderaro, com vigor, e exclamou:

— Deixa-o, André. Acompanhemo-lo. Não podemos olvidar que Marcelo não se encontra perfeitamente curado.

Indicando as entidades provocadoras, a pequena distância, prosseguiu esclarecendo:

— A simples reaproximação dos inimigos de outra época altera-lhe as condições mentais. Receoso, aflito, teme o regresso à situação dolorosa em que se viu, há muitos anos, nas esferas inferiores, e busca, apressado, o corpo físico, à maneira de alguém que se socorre do único refúgio de que dispõe, em face da tempestade iminente.

Os Espíritos erradios bateram em retirada, e tornamos ao interior doméstico, onde encontramos o jovem tomado de contorções.

Abracei-o, como se o fizesse a um filho querido.

O ataque amainou, sem, contudo, cessar de todo. Ergui os olhos para o orientador, em muda interrogação. Por que tal distúrbio? A câmara de Marcelo permanecia isolada quanto ao contato direto com as entidades inferiores. Permanecíamos os três em palestra edificante. Por que motivo a perturbação, se nos mantínhamos em salutar atmosfera de santificantes pensamentos?

O instrutor contemplou-me bondoso e recomendou:

— Observa o campo orgânico, examinando particularmente o cérebro.

Notei que a luz habitual dos centros endócrinos empalidecera, persistindo somente a epífise a emitir raios anormais.

No encéfalo o desequilíbrio era completo. Das zonas mais altas do cérebro partiam raios de luz mental, que, por assim dizer, bombardeavam a colmeia de células do córtex. Os vários centros motores, inclusive os da memória e da fala, jaziam desorganizados, inânimes. Esses raios anormais penetravam as camadas mais profundas do cerebelo, perturbando as vias do equilíbrio e destrambelhando a tensão muscular; determinavam estranhas transformações nos neurônios e imergiam no sistema nervoso cinzento, anulando a atividade das fibras. Via-se totalmente inibido o delicado aparelho encefálico. As zonas motoras, açoitadas pelas faíscas mentais, perdiam a ordem, a disciplina, o autodomínio, por fim cedendo, baldas de energia. Enquanto isso, Marcelo-espírito contorcia-se de angústia, justaposto ao Marcelo-forma, encarcerado na inconsciência orgânica, presa de convulsões que me confrangiam a alma.

8.9 Após detido exame, indaguei de Calderaro:

— Como explicar essa ocorrência? Afinal de contas, nosso amigo não se encontra aqui sob o guante dos perseguidores desencarnados, mas em nossa exclusiva companhia.

O orientador, agora em ação de socorro magnético, interferia, restaurando o equilíbrio, recomendando-me aguardar alguns minutos. Em breve, dominou a desarmonia. Envolvendo-lhe o campo mental em emissões fluídico-balsâmicas, o desastre não chegou a termo. Marcelo aquietou-se. Refez-se a atividade cerebral, qual praça em tumulto logo descongestionada. As células nervosas retomaram sua tarefa, normalizaram-se as vias do tráfego, o sistema endócrino regressou à regularidade, as redes de estímulos restabeleceram os serviços costumeiros.

Marcelo, desapontado e abatido, caiu em profundo sono, pois Calderaro entendeu conveniente proporcionar-lhe maior repouso, não lhe permitindo a retirada em corpo perispiritual nos primeiros minutos de paz que se sucederam à forte crise.

Observando o rapaz, no conchego do leito, o instrutor fitou-me, benévolo, e perguntou:

— Lembras-te dos reflexos condicionados de Pavlov?[15]

Como não? Recordava-me, sim, da famosa experiência com cães, aplicada a fenômenos outros.

— Pois bem — prosseguiu Calderaro, bondoso —, o caso de Marcelo verifica-se em consonância com os mesmos princípios. Em existências passadas, errou em múltiplos modos, e o remorso, imperiosa força a serviço da divina Lei, guardou-lhe a consciência, qual sentinela vigilante, entregando-o aos seus inimigos nos planos inferiores e conduzindo-o à colheita de espinhos que semeara, logo após a perda do vaso físico, num dos seus períodos mais intensos de queda espiritual. Em consequência de tais desvios, perambulou desequilibrado, de alma doente, exposto à dominação das antigas vítimas. Desarranjou os centros perispirituais, enfermando-os para muito tempo. Sustentado pelo socorro de um grande instrutor que intercedeu por ele, renasceu mais calmo, agora, para importante serviço de resgate. Todavia, a cooperação valiosa recebida do exterior não poderia transformar-lhe de modo visceral a situação íntima. Conservava-se desafogado dos impiedosos adversários, aos quais deveria ajudar doravante; contudo, o organismo perispirítico arquivava a lembrança fiel dos atritos experimentados fora do veículo denso. As zonas motoras de Marcelo, em razão disso — salientou o atencioso orientador —, simbolizando a moradia das "forças conscientes", em sua atualidade de trabalho, constituem uma "região perispiritual em convalescença", quais as sensíveis cicatrizes do corpo físico. Ao se reaproximar de velhos desafetos, o rapaz, que ainda não consolidou o equilíbrio integral, sujeita-se aos violentos choques psíquicos, com o que as emoções se lhe

---

[15] N.E.: Pavlov (1849-1936), fisiólogo e médico russo.

desvairam, afastando-se da necessária harmonia. A mente desorientada abandona o leme da organização perispirítica e dos elementos fisiológicos, assume condições excêntricas, dispersa as energias, que lhe são peculiares, em movimentos desordenados; passam, então, essas energias a atritarem-se e a emitir radiações de baixa frequência, aproximadamente igual à da que lhe incidia do pensamento alucinado de suas vítimas. Essas emissões destruidoras invadem a matéria delicada do córtex encefálico, assenhoreiam-se dos centros corticais, perturbam as sedes da memória, da fala, da audição, da sensibilidade, da visão, e inúmeras outras sedes do governo de vários estímulos; temos, destarte, o "grande mal", de sintomatologia aparatosa, determinando as convulsões, nas quais o corpo físico, prostrado, vencido, mais se assemelha a embarcação repentinamente à matroca.

As elucidações de Calderaro enchiam-me de respeito pelos fundamentos morais da vida. Compreendia agora a impossibilidade de uma psiquiatria sem as noções do espírito. Lembrou-me a luta secular entre fisiologistas e psicologistas, disputando a norma de socorro aos alienados mentais. Mesmer[16] e Charcot,[17] Pinel[18] e Broca[19] desfilaram ante minha imaginação, enriquecida de novos conhecimentos.

A interrupção das digressões do assistente não durou muito. Devo, na verdade, consignar que, desde a primeira hora de nossas conversações, tais intermitências se fizeram habituais, parecendo-me que Calderaro intencionalmente me proporcionava tréguas para ruminar-lhe os conceitos.

Respondendo-me às íntimas ponderações, continuou:

---

[16] N.E.: Franz Mesmer (1734-1815), médico alemão.
[17] N.E.: Jean-Martin Charcot (1825-1893), neurologista francês
[18] N.E.: Philippe Pinel (1745-1826), médico francês.
[19] N.E.: Paul Broca (1824-1880), cirurgião e antropologista francês.

— Impossível é pretender a cura dos loucos à força de processos exclusivamente objetivos. É indispensável penetrar a alma, devassar o cerne da personalidade, melhorar os efeitos socorrendo as causas; por conseguinte, não restauraremos corpos doentes sem os recursos do Médico divino das almas, que é Jesus Cristo. Os fisiologistas farão sempre muito, tentando retificar a disfunção das células; no entanto, é mister intervir nas origens das perturbações. O caso de Marcelo é tão somente um dos múltiplos aspectos do "fenômeno epileptoide", para empregarmos a terminologia dos médicos encarnados. Esse desequilíbrio perispiritual assinala-se, todavia, por gradação demasiado complexa. A confirmação da teoria dos reflexos condicionados não se aplica exclusivamente a ele. Temos milhões de pessoas irascíveis que, pelo hábito de se encolerizarem facilmente, viciam os centros nervosos fundamentais pelos excessos da mente sem disciplina, convertendo-se em portadores do "pequeno mal", em dementes precoces, em neurastênicos de tipos diversos ou em doentes de franjas epilépticas, que andam por aí, submetidos à hipoglicemia insulínica ou ao metrazol;[20] enquanto isso, o serem educados mentalmente, para a correção das próprias atitudes internas no ramerrão da vida, lhes seria tratamento mais eficiente e adequado, pois regenerativo e substancial. Enunciando tais verdades, não subestimamos o ministério dos psiquiatras abnegados, que consomem a existência na dedicação aos semelhantes, nem avançamos que todos os doentes, sem exceção, possam dispensar o concurso dos choques renovadores, tão necessários a muita gente, como ducha para os "nervos empoeirados". Desejamos apenas salientar que o homem, pela sua conduta, pode vigorar a própria alma, ou lesá-la. O caráter altruísta, que aprendeu a

---

[20] N.E.: Droga utilizada antigamente nos pacientes psicóticos, hoje em desuso, baseada na suposição de que as convulsões que provocava nos doentes melhoravam o transtorno mental que os acometiam.

sacrificar-se para o bem de todos, estará engrandecendo os celeiros de si mesmo, em plena eternidade; o homicida, esparzindo a morte e a sombra em sua cercania, estabelece o império do sofrimento e da treva no próprio íntimo. Ao topar com irmãos nossos sob o domínio das lesões perispiríticas, consequências vivas dos seus atos, exarados pela Justiça universal, é indispensável, para assisti-los com êxito, remontar à origem das perturbações que os molestam; isto se fará não a golpes verbalísticos de psicanálise, mas socorrendo-os com a força da fraternidade e do amor, a fim de que logrem a imprescindível compreensão com que se modifiquem, reajustando as próprias forças...

8.13   Nesse instante, observando que Marcelo se reerguia, o instrutor interrompeu-se nas elucidações e convidou-o a vir ter conosco novamente.

O rapaz abraçou-nos comovido.

— Então — disse, fitando humildemente Calderaro —, fraquejei e caí...

— Oh! não! — exclamou o orientador, afagando-o —, não te sintas em queda. Estás ainda em tratamento, e não podemos esquecer a realidade. Teu esforço é admirável; entretanto, há que aguardar a contribuição do tempo.

Sorriu e acentuou:

— Em épocas recuadas perdeste valioso ensejo de seguir na senda progressiva, a escorregar, a resvalar... Agora, é imprescindível retomar a subida cautelosamente. O pássaro de asas débeis não pode abusar do voo.

O jovem cobrou esperanças novas e, contemplando Calderaro, reconhecidamente, inquiriu:

— Acredita o meu benfeitor que deva optar pelo uso de hipnóticos?

— Não. Os hipnóticos são úteis só na áspera fase de absoluta ignorância mental, quando é preciso neutralizar as células nervosas ante os prováveis atritos da organização perispirítica. Em teu caso, Marcelo, para a tua consciência que já acordou na Espiritualidade superior, o remédio mais eficaz consiste na fé positiva, na autoconfiança, no trabalho digno, em pensamentos enobrecedores. Permanecendo na zona mais alta da personalidade, vencerás os desequilíbrios dos departamentos mais baixos, competindo-te, por isto mesmo, atacar a missão renovadora e sublime que te foi confiada no setor da própria iluminação e no bem do próximo. Os elementos medicamentosos podem exercer tutela despótica sobre o cosmo orgânico, sempre que a mente não se disponha a controlá-la, recorrendo aos fatores educativos.

O rapaz osculou-lhe as mãos enternecidamente, e Calderaro, ocultando a comoção, falou bem-humorado:

— Nada fizemos ainda por merecer o reconhecimento de qualquer criatura. Somos não mais do que trabalhadores imperfeitos em serviço, e o serviço é a maior força que nos põe de manifesto nossas próprias imperfeições. Todos temos um credor divino em Jesus, cuja infinita bondade não nos é lícito esquecer.

E, acariciando-lhe os cabelos, acentuou:

— Já lhe ouviste a palavra celestial, abandonando o mal, "para que te não suceda coisa pior". Assim sendo, és agora feliz. Em verdade, somos presentemente felizes, porque nosso objetivo de hoje é a realização do Reino de Deus, em nós, com o Cristo. Trabalhemos com Ele, por Ele e para Ele, curando nossos males para sempre.

O jovem abraçou-se a nós, qual se fora um filho, de encontro aos nossos corações, e saímos juntos em agradável excursão de estudos, enquanto seu corpo físico repousou tranquilamente.

9
Mediunidade

9.1   Sobremodo interessado no expressivo caso de Marcelo, apresentei a Calderaro, no dia seguinte, certas questões que fortemente me preocupavam.

Os reflexos condicionados não se aplicariam, igualmente, a diversos fenômenos medianímicos? Não elucidavam as mistificações inconscientes que, muita vez, perturbam os círculos dos experimentadores encarnados?

Alguns estudiosos do Espiritismo, devotados e honestos, reconhecendo os escolhos do campo do mediunismo, criaram a hipótese do fantasma anímico do próprio medianeiro, o qual agiria em lugar das entidades desencarnadas. Seria essa teoria adequada ao caso vertente? Sob a evocação de certas imagens, o pensamento do médium não se tornaria sujeito a determinadas associações, interferindo automaticamente no intercâmbio entre os homens da Terra e os habitantes do Além? Tais intervenções, em muitos casos, poderiam provocar desequilíbrios intensos. Ponderando observações ouvidas nos últimos tempos, em vários centros de cultura espiritualista, com referência ao assunto, inquiria de mim mesmo se o problema oferecia relações com os mesmos princípios de Pavlov.

O instrutor ouviu-me paciente, até ao fim de minhas considerações, e respondeu benévolo:

— A consulta exige meditação mais acurada. A tese animista é respeitável. Partiu de investigadores conscienciosos e sinceros, e nasceu para coibir os prováveis abusos da imaginação; entretanto, vem sendo usada cruelmente pela maioria dos nossos colaboradores encarnados, que fazem dela um órgão inquisitorial, quando deveriam aproveitá-la como elemento educativo, na ação fraterna. Milhares de companheiros fogem ao trabalho, amedrontados, recuam ante os percalços da iniciação mediúnica, porque o animismo se converteu em Cérbero.[21] Afirmações sérias e edificantes, tornadas em opressivo sistema, impedem a passagem dos candidatos ao serviço pela gradação natural do aprendizado e da aplicação. Reclama-se deles precisão absoluta, olvidando-se lições elementares da Natureza. Recolhidos ao castelo teórico, inúmeros amigos nossos, reunindo-se para o elevado serviço de intercâmbio com a nossa esfera, não aceitam comumente os servidores, que hão de crescer e de aperfeiçoar-se com o tempo e com o esforço. Exigem meros aparelhos de comunicação, como se a luz espiritual se transmitisse da mesma sorte que a luz elétrica por uma lâmpada vulgar. Nenhuma árvore nasce produzindo, e qualquer faculdade nobre requer burilamento. A mediunidade tem, pois, sua evolução, seu campo, sua rota. Não é possível laurear o estudante no curso superior sem que ele tenha tido suficiente aplicação nos cursos preparatórios, através de alguns anos de luta, de esforço, de disciplina. Daí, André, nossa legítima preocupação em face da

---

[21] N.E.: Na mitologia grega, cão monstruoso, guardião dos infernos.

tese animista, que pretende enfeixar toda a responsabilidade do trabalho espiritual numa cabeça única, isto é, a do instrumento mediúnico. Precisamos de apelos mais altos, que animem os cooperadores incipientes, proporcionando-lhes mais vastos recursos de conhecimento na estrada por eles mesmos perlustrada, a fim de que a espiritualidade santificante penetre os fenômenos e estudos atinentes ao espírito.

9.3 Fez pequeno intervalo que não ousei interromper, fascinado pela elevação dos conceitos ouvidos, e continuou:

— Vamos à tua sugestão. Os reflexos condicionados enquadram-se, efetivamente, no assunto; no entanto, cumpre-nos investigar domínio de mais graves apreciações. Os animais de Pavlov demonstravam capacidade mnemônica; memorizavam fatos por associações mentais espontâneas. Isto quer dizer que mobilizavam matéria sutil, independente do corpo denso; que jogavam com forças mentais em seu aparelhamento de impulsos primitivos. Se as "consciências fragmentárias" do experimento eram capazes de usar essa energia, provocando a repetição de determinados fenômenos no cosmo celular, que prodígios não realizará a mente de um homem, cedendo não a meros reflexos condicionados, mas a emissões de outra mente em sintonia com a dele? Dentro de tais princípios, é imperioso que o intermediário cresça em valor próprio. Ocorrências extraordinárias e desconhecidas ocupam a vida em todos os recantos, mas a elevação condiciona fervorosa procura. Ninguém receberá as bênçãos da colheita sem o suor da sementeira. Lamentavelmente, porém, a maior parte de nossos amigos parece desconhecer tais imposições de trabalho e de cooperação: exigem faculdades completas. O instrumento mediúnico é automaticamente desclassificado se não tem a felicidade de exibir absoluta harmonia com os desencarnados, no campo tríplice das forças mentais, perispirituais e fisiológicas. Compreendes a dificuldade?

Sim, começava a entender. As elucidações, todavia, eram demasiado fascinantes para que me abalançasse a qualquer apontamento; guardei, por isso, a continuação das definições, na postura de humilde aprendiz.

O assistente percebeu minha íntima atitude e continuou:

— Buscando símbolo mais singelo, figuremos o médium como uma ponte a ligar duas esferas, entre as quais se estabeleceu aparente solução de continuidade, em virtude da diferenciação da matéria no campo vibratório. Para ser instrumento relativamente exato, é-lhe imprescindível haver aprendido a ceder, e nem todos os artífices da oficina mediúnica realizam, a breve trecho, tal aquisição, que reclama devoção à felicidade do próximo, elevada compreensão do bem coletivo, avançado espírito de concurso fraterno e de serena superioridade nos atritos com a opinião alheia. Para conseguir edificação dessa natureza, faz-se mister o refúgio frequente à "moradia dos princípios superiores". A mente do servidor há de fixar-se nas zonas mais altas do ser, na qual aprenderá o valor das concepções sublimes, renovando-se e quintessenciando-se para constituir elemento padrão dos que lhe seguem a trajetória. O homem, para auxiliar o presente, é obrigado a viver no futuro da raça. A vanguarda impõe-lhe a soledade e a incompreensão, por vezes dolorosas; todavia, essa condição representa artigo da Lei que nos estatui adquirir para podermos dar. Ninguém pode ensinar caminhos que não haja percorrido. Nasce daí, tratando-se da mediunidade edificante, a necessidade de fixação das energias instrumentais no santuário mais alto da personalidade. Fenômenos — não lhes importa a natureza — é forçoso reconhecer que assediam a criatura em toda parte. A ciência legítima é a conquista gradual das forças e operações da Natureza, que se mantinham ocultas à nossa acanhada apreensão. E como somos filhos do Deus Revelador, infinito em grandeza, é de esperar tenhamos sempre à frente ilimitados campos de observação, cujas

9.5 portas se abrirão ao nosso desejo de conhecimento, à maneira que gradeçam nossos títulos meritórios. Por isso, André, consideramos que a mediunidade mais estável e mais bela começa, entre os homens, no império da intuição pura. Moisés desempenhou sua tarefa, compelido pelas expressões fenomênicas que o cercavam; recebe, sob incoercível comoção, os sublimes princípios do Decálogo, sentindo defrontar-se com figuras e vozes materializadas do plano espiritual; entretanto, ao mesmo tempo que transmite o "não matarás", não parece muito inclinado ao inquebrantável respeito pela vida alheia; sua doutrina, venerável embora, baseia-se no exclusivismo e no temor. Com Jesus, o aspecto da mediunidade é diferente. Mantém-se o Mestre em permanente contato com o Pai, por meio da própria consciência, do próprio coração; transmite aos homens a Revelação divina, vivendo-a em si mesmo; não reclama justiça, nem pede compreensão imediata; ama as criaturas e serve-as, mantendo-se unido a Deus. Em razão disto, a Boa-Nova é mensagem de confiança e de amor universal. Vemos, pois, dois tipos de medianeiros do próprio Céu, eminentemente diversos, mostrando qual o padrão desejável. No mediunismo comum, portanto, o colaborador servirá com a matéria mental que lhe é própria, sofrendo-lhe as imprecisões naturais diante da investigação terrestre; e, após adaptar-se aos imperativos mais nobres da renúncia pessoal, edificará, não de improviso, mas à custa de trabalho incessante, o templo interior de serviço, no qual reconhecerá a superioridade do programa divino acima de seus caprichos humanos. Atingida essa realização, estará preparado para sintonizar-se com o maior número de desencarnados e encarnados, oferecendo-lhes, como a ponte benfeitora, oportunidade de se encontrarem uns com os outros, na posição evolutiva em que permaneçam, por meio de entendimentos construtivos. Devo dizer-te que não cogitamos aqui de faculdades acidentais, que aparecem e desaparecem entre candidatos ao serviço, sem espírito de ordem e de disciplina, verdadeiros balões de ensaio para os voos do porvir; referimo-nos à mediunidade aceita pelo cooperador e mobilizável em qualquer situação para o bem geral. Comentando atividades e tarefas, devemos salientar os padrões que lhes digam respeito, e este é o característico da instrumentalidade espiritual nas esferas superiores. Logicamente, é impossível alcançá-lo de vez; toda obra impõe começo.

Como revelasse nos olhos a indomável comoção que se apossara de mim ante os conceitos ouvidos, o assistente modificou a inflexão da voz e tranquilizou-me:

— Reportando-nos ainda ao Cristo, importa-nos reconhecer que o Mestre viveu insulado no "monte divino da consciência", abrindo caminho aos vales humanos. Claro está que nenhum de nós abriga a pretensão de copiar Jesus; contudo, precisamos inspirar-nos em suas lições. Há milhões de seres humanos, encarnados e desencarnados, de mente fixa na região menos elevada dos impulsos inferiores, absorvidos pelas paixões instintivas, pelos remanescentes do pretérito envilecido, presos aos reflexos condicionados das comoções perturbadoras a que, inermes, se entregaram; outros tantos mantêm-se, jungidos à carne e fora dela, na atividade desordenada, em manifestações afetivas sem rumo, no apego desvairado à forma que passou ou à situação que não mais se justifica; outros, ainda, param na posição beata do misticismo religioso exclusivo, sem realizações pessoais no setor da experiência e do mérito, que os integre no quadro da lídima elevação. Subtraído o corpo físico, a situação prossegue quase sempre inalterada, para o organismo perispirítico, fruto do trabalho paciente e da longa evolução. Esse organismo, constituído, embora, de elementos mais plásticos e sutis, ainda é edifício material de retenção da consciência. Muita gente, no plano da crosta planetária, conjetura que o Céu nos revista de túnica angelical, logo que baixado o corpo ao sepulcro. Isto, porém, é grave

9.6

erro no terreno da expectativa. Naturalmente, não nos referimos, nestas considerações, a espíritos da estofa de um Francisco de Assis, nem a criaturas extremamente perversas, uns e outros não cabíveis em nosso quadro: o zênite e o nadir da evolução terrestre não entram em nossas cogitações; falamos de pessoas vulgares, quais nós mesmos, que nos vamos em jornada progressiva, mais ou menos normal, para concluir que, tal o estado mental que alimentamos, tais as inteligências, desencarnadas ou encarnadas, que atraímos, e das quais nos fazemos instrumentos naturais, embora de modo indireto. E a realidade, meu amigo, é que todos nós, que nos contamos por centenas de milhões, não prescindimos de medianeiros iluminados, aptos a colocar-nos em comunicação com as fontes do Suprimento superior.. Necessitamos do auxílio de mais alto, requeremos o concurso dos benfeitores que demoram acima de nossas paragens. Para isto, há que organizar recursos de receptividade. Nossa mente sofre sede de luz, como o organismo terreno tem fome de pão. Amor e sabedoria são substâncias divinas que nos mantêm a vitalidade.

9.7 O instrutor fez breve interrupção e acrescentou:

— Compreendes agora a importância da mediunidade, isto é, da elevação de nossas qualidades receptivas para alcançarem a necessária sintonia com os mananciais da vida superior?

Sim, respondi, entendera-lhe as observações, ponderando-lhes a magnitude.

— Não é serviço que possamos organizar da periferia para o centro — prosseguiu Calderaro —, e sim do interior para o exterior. O homem encarnado, quase sempre empolgado pelo sono da ilusão, poderá começar pelo fenômeno; à maneira, porém, que desperte as energias mais profundas da consciência, sentirá a necessidade do reajustamento e regressará à causa de modo a aperfeiçoar os efeitos. Obra de construção, de tempo, de paciência...

Chegados a essa altura da conversação, o orientador convidou-me ao serviço de assistência a dedicada senhora, médium em processo de formação, que lhe vinha recebendo socorro para prosseguir na tarefa, com a fortaleza e serenidade indispensáveis.

Propiciando-me o feliz ensejo, meu gentil interlocutor concluiu:

— O caso é oportuno. Observarás comigo os obstáculos criados pela tese animista.

Marcava o relógio precisamente vinte horas, quando penetramos confortável recinto. Várias entidades de nosso plano ali se moviam, ao lado de onze companheiros reunidos em sessão íntima, consagrada ao serviço da oração e do desenvolvimento psíquico. Logo à entrada, recebeu-nos atencioso colega, a quem fui apresentado com sincera satisfação.

Recebi dele, de início, informações condensadas que anotei contente. Fora igualmente médico. Deixara a experiência física antes de concretizar velhos planos de assistência fraternal aos seus inumeráveis doentes pobres. Guardava o júbilo de uma consciência tranquila, zelara o bem geral quanto lhe fora possível; contudo, entrevendo a probabilidade de algo fazer além-túmulo, recebera permissão para cooperar naquele reduzido grupo de amigos, com o objetivo de efetuar certo plano de socorro aos enfermos desamparados. O intercâmbio com os desencarnados não poderia transformar os homens em anjos de um dia para outro, mas poderia ajudá-los a ser criaturas melhores. Impossível seria instalar o paraíso na crosta do mundo em algumas semanas; entretanto, era lícito cooperar no aprimoramento da sociedade terrestre, incentivando-se a prática do bem e a devoção à fraternidade. Para esse fim, ali permanecia, interessado em contribuir na proteção aos doentes menos aquinhoados.

9.9   Acompanhando-lhe os argumentos com admiração, mantive-me silencioso, mas Calderaro indagou, cortês, após inteirar-se das ocorrências:

— E como vai no desenvolvimento de seus elevados propósitos?

— Dificilmente — informou o interpelado —; os recursos de comunicação ao meu alcance ainda não são de molde a inspirar confiança à maioria dos companheiros encarnados. A bem dizer, não me interessa comparecer aqui, de nome aureolado por terminologia clássica, e nem me abalançaria a oferecer teses novas, concorrendo com o mundo médico. Guia-me, agora, tão somente o sadio desejo de praticar o bem. Entretanto...

— Ainda não lhe ouviram os apelos, por intermédio de Eulália? — perguntou o meu instrutor.

— Não; por enquanto, não. Sempre a mesma suspeita de animismo, de mistificação inconsciente...

Ia a palestra pelo meio, quando o diretor espiritual da casa convidou o colega a experimentar. Chegara o minuto aprazado. Poderia acercar-se da médium.

Aproximamo-nos do grupo de amigos, imersos em profunda concentração.

Enquanto o novo conhecido se abeirava de uma senhora de porte distinto, certamente ensaiando a transmissão da mensagem que desejava passar à esfera carnal, Calderaro observou-me:

— Repara o conjunto. Já fiz meus apontamentos. Com exceção de três pessoas, os demais, em número de oito, guardam atitude favorável. Todos esses se encontram na posição de médiuns, pela passividade que demonstram. Analisa a irmã Eulália e reconhecerás que o estado receptivo mais adiantado lhe pertence; dos oito cooperadores prováveis, é a que mais se aproxima do tipo necessário. No entanto, o nosso amigo médico não encontra em sua organização psicofísica elementos afins perfeitos: nossa colaboradora não se liga a ele por todos os seus centros perispirituais; não é capaz de elevar-se à mesma frequência de vibração em que se acha o comunicante; não possui suficiente "espaço interior" para comungar-lhe as ideias e conhecimentos; não lhe absorve o entusiasmo total pela Ciência, por ainda não trazer de outras existências, nem haver construído, na experiência atual, as necessárias teclas evolucionárias, que só o trabalho sentido e vivido lhe pode conferir. Eulália manifesta, contudo, um grande poder — o da boa vontade criadora, sem o qual é impossível o início da ascensão às zonas mais altas da vida. É a porta mais importante, pela qual se entenderá com o médico desencarnado. Este, a seu turno, para realizar o nobre desejo que o anima, vê-se compelido, em face das circunstâncias, a pôr de lado a nomenclatura oficial, a técnica científica, o patrimônio de palavras que lhe é peculiar, as definições novas, a ficha de renome, que lhe coroa a memória nos círculos dos conhecidos e dos clientes. Poderá identificar-se com Eulália para a mensagem precisa, usando também, a seu turno, a boa vontade; e, adotando esta forma de comunicação, valer-se-á, acima de tudo, da comunhão mental, reduzindo ao mínimo a influência sobre os centros neuropsíquicos; é que, em matéria de mediunismo, há tipos idênticos de faculdades, mas enorme desigualdade nos graus de capacidade receptiva, os quais variam infinitamente, como as pessoas.

    O instrutor silenciou por momentos e prosseguiu:

    — Não nos esqueçamos de que formamos agora uma equipe de trabalhadores em ação experimental. Nem o provável comunicante chegou a concretizar as bases de seu projeto, nem a médium conseguiu ainda suficiente clareza e permeabilidade para cooperar com ele. Num terreno de atividades definidas, deste particular, poderíamos agir à vontade; aqui, não: nosso procedimento deve ser de neutralidade mental, não de interferência. Compreendendo, pois, que todos os recursos cumpre serem aproveitados no êxito da louvável edificação, nenhum de nós intervirá, perturbando ou consumindo tempo. É-nos facultado permutar ideias, analisar a ocorrência, mas com absoluta isenção de ânimo. O momento pertence ao comunicante, que não dispõe de aparelhamento mais perfeito para a transmissão.

11   Nesse instante, indicou-me o colega que, de pé, junto de Eulália, mantinha a mente iluminada e vibrante num admirável esforço por derruir a natural muralha entre a nossa esfera e o campo de matéria densa.

— Anota as particularidades do serviço — disse-me Calderaro, com significativa inflexão de voz —; todos os companheiros em posição receptiva estão absorvendo a emissão mental do comunicante, cada qual a seu modo. Repara calmamente.

Circulei a mesa e vi que os raios de força positiva do mensageiro efetivamente incidiam em oito pessoas. Reconheci que o tema central do desejo formulado por nosso amigo, no tocante ao projeto de assistência aos enfermos, alcançava o cérebro dos que se conservavam em atitude passiva; na tela animada da concentração de energias mentais, cada irmão recebia o influxo sugestivo, que de logo lhes provocava a livre associação dos psicanalistas.

Fixei as particularidades com atenção.

Ao receberem a emissão de forças do trabalhador do bem, um cavalheiro recordou comovente paisagem de hospital; outro rememorou o exemplo de uma enfermeira bondosa que com ele travara relações; outro abrigou pensamentos de simpatia para com os doentes desamparados; duas senhoras se lembraram da caridosa missão de Vicente de Paulo; a uma velhinha acudiu a ideia de visitar algumas pessoas acamadas que lhe eram queridas; um jovem reportou-se, em silêncio, a notáveis páginas que lera sobre piedade fraternal para com todos os semelhantes afastados do equilíbrio físico.

Examinei também as três pessoas que se mantinham impermeáveis ao serviço benemérito daquela hora. Duas delas contristavam-se por haver perdido uma sessão cinematográfica, e a outra, uma senhora na idade provecta, retinha a mente na lembrança das ocupações domésticas, que supunha imperiosas e inadiáveis, mesmo ali, num círculo de oração, onde devera beneficiar-se com a paz.

Somente Eulália recebia o apelo do comunicante com mais nitidez. Sentia-se ao seu lado; envolvia-se em seus pensamentos; possuía-se não só de receptividade, mas também de boa disposição para servi-lo.

Decorridos alguns minutos de expectativa e de preparo silencioso, a mão da médium, orientada pelo médico e movida em cooperação com os estímulos psicofísicos da intermediária, começou a escrever, em caracteres irregulares — denunciando o natural conflito de "dois cosmos psíquicos" diferentes, mas empenhados num só objetivo —, a produção de uma obra elevada.

Acompanhei a cena com interesse.

Mais alguns momentos e fazia-se a leitura do pequeno texto obtido.

O comunicado era vazado em forma singela, como um apelo fraternal:

"Meus irmãos — escrevera o emissário —, que Deus vos abençoe.

Identificados na construção do bem, trabalhemos na assistência aos enfermos, necessitados de nosso concurso entre os longos sofrimentos da provação terrestre. O serviço pertence à boa vontade unida à fé viva. E a sementeira reclama trabalhadores abnegados, que ignorem cansaço, tristeza e desânimo.

Sigamos para a frente.

Cada pequenina demonstração de esforço próprio, nas realizações da caridade, receberá do Senhor a divina bênção.

9.13   Aprendamos, pois, a socorrer nossos amigos doentes. Através de espessa noite de dor, sofrem e choram, muita vez em pleno abandono.

Não vos magoará a contemplação de tal quadro? Lembremo-nos daquele divino Médico que passou, no mundo, fazendo o bem. Dele receberemos a força necessária para progredir. Estará conosco na grande jornada de comiseração pelos que padecem.

Fiamos em vós, em vossa dedicação à causa da bondade evangélica.

A estrada será talvez difícil e fragosa; entretanto, o Senhor permanecerá conosco.

Prossigamos, intimoratos, e que Ele nos abençoe agora e sempre."

O comunicante assinou o nome, e, daí a alguns minutos, encerravam-se os serviços espirituais da noite.

O presidente da sessão, seguido pelos demais companheiros, iniciou o estudo e debate da mensagem. Concordou-se em que era edificante na essência, mas não apresentava índices concludentes da identificação individual; não procedia, possivelmente, do conhecido profissional que a subscrevera; faltavam-lhe os característicos especiais, pois um médico usaria nomenclatura adequada e se afastaria da craveira comum.

E a tese animista apareceu como tábua de salvação para todos. Transferiu-se a conversação para complicadas referências ao mundo europeu; falou-se extensamente de Richet[22] e do metapsiquismo internacional; Pierre Janet,[23] Charcot, De Rochas[24]

---

[22] N.E.: Charles Richet (1850-1935), médico fisiologista francês, metapsiquista, também era aviador, escritor etc.

[23] N.E.: Pierre Janet (1859-1947), psicólogo e neurologista francês.

[24] N.E.: Albert de Rochas (1837-1914), engenheiro militar, historiador e pesquisador dos fenômenos psíquicos.

e Aksakof[25] eram a cada passo trazidos à balha. O comunicante, em nosso plano de ação, dirigiu-se, desapontado, ao meu orientador e comentou:

— Ora essa, jamais desejei despertar semelhante polêmica doméstica! Pretendemos algo diferente. Bastar-nos-ia um pouco de amor pelos enfermos, nada mais.

Calderaro sorriu, sem dizer palavra, e, evidenciando preocupação em objetivo mais importante, acercou-se de Eulália, entristecida.

A médium ouvia as definições preciosas com irrefreável amargura.

Turvara-se-lhe a mente, agora, empanada por densos véus de dúvida. A argumentação em curso nublava-lhe o entendimento. Marejavam-se-lhe os olhos de lágrimas, que não chegavam a cair.

Abeirando-se dela, o instrutor falou-me bondoso:

— Nossos amigos encarnados nem sempre examinam as situações pelo prisma da justiça real. Eulália é colaboradora preciosa e sincera. Se ainda não completou as aquisições culturais no campo científico, é suficientemente rica de amor para contribuir à sementeira de luz. Encontra-se, porém, desabrigada, entre os companheiros invigilantes. Permanece sozinha e, assediada como está, é suscetível de abater-se. Auxiliemo-la sem detença.

A destra do assistente, espalmada sobre a cabeça de nossa respeitável irmã, expendia brilhantes raios, que lhe desciam do encéfalo ao tórax, qual fluxo renovador.

A médium, que antes parecia torturada, sopitando a custo a natural reação às opiniões que ouvia, voltou à serenidade. Caiu-lhe a máscara de descontentamento, dissipou-se-lhe a tristeza destrutiva; os centros perispiríticos tornaram à normalidade; a epífise irradiou branda luz. As nuvens de mágoa, que se

---

[25] N.E.: Alexander Aksakof (1832-1902), filósofo e diplomata russo. Notabilizou-se na investigação e análise dos fenômenos espíritas. Autor de *Animismo e Espiritismo*.

lhe esboçavam na mente, esfumaram-se como por encanto. Em suma, amparada pela atuação direta do meu orientador, Eulália sabia dos percalços do trabalho e mergulhava-se gradativamente no ameno clima da compreensão.

9.15 Restabelecendo-lhe a tranquilidade, o instrutor, em seguida, conservou as mãos apoiadas aos lobos frontais, agindo-lhe sobre as fibras inibidoras. Observei, então, nova mudança. A mente da médium, como que se introvertia, desinteressando-se da conversação em torno e ficando mais atenta ao nosso campo de ação. O contato benéfico do assistente cortava-lhe, de modo imperceptível para ela, o interesse pelas referências sem proveito, convocando-a a mais íntimo intercâmbio conosco.

Com ternura paternal, Calderaro, conservando as mãos na mesma postura, inclinou-se-lhe aos ouvidos e falou carinhosamente:

— Eulália, não desanimes! A fé representa a força que sustenta o espírito na vanguarda do combate pela vitória da luz divina e do amor universal. Nossos amigos não te acusam nem te ferem: tão somente dormem na ilusão e sonham, apartados da verdade; exculpa-os pelas futilidades do momento. Mais tarde eles despertarão para o esforço de espalhar-se o bem... Investigam com os olhos a superfície das coisas, mas seus ouvidos ainda não escutaram o sublime apelo à redenção. Sigamos para a frente. Estaremos contigo na tarefa diária. É necessário amar e perdoar sempre, esquecendo o dia obscuro, a fim de alcançar os milênios luminosos. Não desfaleças! O eterno Pai te abençoará.

Reparei que Eulália não registrava aquelas palavras com os tímpanos de carne. Encheram-se-lhe os lobos frontais de intensa luz. As frases comovedoras do instrutor represaram-se-lhe no cérebro e no coração, quais pensamentos sublimes que lhe caíam do céu, saturados de calor reconfortante e bendito.

Sim — respondia, do fundo da alma, a devotada colaboradora, embora os lábios se lhe cerrassem no incompreendido silêncio —, trabalharia até o fim, consciente de que o serviço da verdade pertence ao Senhor, e não aos homens. Olvidaria todos os golpes. Receberia as objeções dos outros, transformando-as em auxílios. Converteria as opiniões desanimadoras em motivos de energia nova. Dar-se-ia pressa em reconhecer os próprios defeitos, sempre que fossem indigitados pela franqueza de alguém, rendendo graças pela oportunidade de corrigi-los, quanto possível. Caminharia para a frente. Ser-lhe-ia a mediunidade um campo de trabalho, onde aperfeiçoaria os sentimentos que nutria, sem cogitar dos utensílios para servi-la: que lhe importavam, com efeito, as dificuldades psicográficas, se lhe pulsava um coração disposto a amar? Sim, ouviria as sugestões do bem, antes de tudo. Seria fiel a Deus e a si mesma. Se os companheiros humanos não a pudessem entender, não lhe restava o conforto de ser compreendida pelos amigos da vida espiritual? Ao termo da experiência terrestre, haveria suficiente luz para todos. Cumpria-lhe crer, trabalhar, amar e esperar no divino Senhor.

O assistente retirou as mãos, deixando-a livre, e, reaproximando-se de mim, asseverou:

— Nossa irmã foi auxiliada e está bem, louvado seja Deus!

Observando os lobos frontais da médium, tão revestidos de luminosidade, fiz sentir a Calderaro minha admiração.

O instrutor amigo, não se esquivando a novos esclarecimentos, informou:

— Eulália, neste instante, fixa-se mentalmente na região mais alta que lhe é possível. Recolhe-se, calma, no santuário mais íntimo, de modo a compreender e desculpar com proveito.

Indicando a referida região cerebral, concluiu:

— Nos lobos frontais, André, exteriorização fisiológica de centros perispiríticos importantes, repousam milhões de células, à espera, para funcionar, do esforço humano no setor da espiritualização. Nenhum homem, dentre os mais arrojados pensadores

9.17 da Humanidade, desde o pretérito até os nossos dias, logrou jamais utilizá-las na décima parte. São forças de um campo virgem, que a alma conquistará não somente em continuidade evolutiva, senão também a golpes de autoeducação, de aprimoramento moral e de elevação sublime; tal serviço, meu amigo, só a fé vigorosa e reveladora pode encetar, como indispensável lâmpada vanguardeira do progresso individual.

10
Dolorosa perda

10.1 Dentro da noite, defrontamos com aflito coração materno. A entidade, que nos dirigia a palavra, infundia compaixão pela fácies de horrível sofrimento.

— Calderaro! Calderaro! — rogou ansiosa —. Ampara minha filha, minha desventurada filha!

— Oh! teria piorado? — inquiriu o instrutor, evidenciando conhecimento da situação.

— Muito! muito!... — gemeram os trementes lábios da mãe aflita —. Observo que enlouqueceu de todo...

— Já perdeu a grande oportunidade?

— Ainda não — informou a interlocutora —, mas encontra-se à beira de extremo desastre.

Prometeu o orientador correr à doente em breves minutos, e voltamos à intimidade.

Interessando-me no assunto, o atencioso assistente sumariou o fato.

— Trata-se de lamentável ocorrência — explicou-me bondoso —, na qual figuram a leviandade e o ódio como elementos perversores. A irmã que se despediu, há momentos, deixou uma filha na crosta planetária há oito anos. Criada com mimos excessivos, a jovem desenvolveu-se na ignorância do trabalho e da responsabilidade, não obstante pertencer a nobilíssimo quadro social. Filha única, entregue desde muito cedo ao capricho pernicioso, tão logo se achou sem a materna assistência no plano carnal, dominou governantes, subornou criadas, burlou a vigilância paterna e, cercada de facilidades materiais, precipitou-se, aos 20 anos, nos desvarios da vida mundana. Desprotegida, assim, pelas circunstâncias, não se preparou convenientemente para enfrentar os problemas do resgate próprio. Sem a proteção espiritual peculiar à pobreza, sem os abençoados estímulos dos obstáculos materiais, e tendo, contra as suas necessidades íntimas, a profunda beleza transitória do rosto, a pobrezinha renasceu, seguida de perto, não por um inimigo propriamente dito, mas por cúmplice de faltas graves, desde muito desencarnado, ao qual se vinculara por tremendos laços de ódio, em passado próximo. Foi assim que, abusando da liberdade, em ociosidade reprovável, adquiriu deveres da maternidade sem a custódia do casamento. Reconhecendo-se agora nesta situação, aos 25 anos, solteira, rica e prestigiada pelo nome da família, deplora tardiamente os compromissos assumidos e luta, com desespero, por desfazer-se do filhinho imaturo, o mesmo comparsa do pretérito a que me referi; esse infeliz, por "acréscimo de misericórdia divina", busca destarte aproveitar o erro da ex-companheira para a realização de algum serviço redentor, com a supervisão dos nossos maiores.

Ante o espanto que inopinadamente me assaltara, sabendo eu que a reencarnação constitui sempre uma bênção que se concretiza com a ajuda superior, o assistente afiançou, tranquilizando-me:

.0.3   — Deus é o Pai amoroso e sábio que sempre nos converte as próprias faltas em remédios amargos que nos curem e fortaleçam. Foi assim que Cecília, a demente que dentro em pouco visitaremos, recolheu da sua leviandade mesma o extremo recurso, capaz de retificar-lhe a vida... Entretanto, a infortunada criatura reage ferozmente ao socorro divino, com uma conduta lastimável e perversa. Coopero nos trabalhos de assistência a ela, de algumas semanas para cá, em virtude das reiteradas e comoventes intercessões maternas junto a nossos superiores; todavia, acalento vaga esperança numa reabilitação próxima. Os laços entre mãe e filho presuntivo são de amargura e de ódio, consubstanciando energias desequilibrantes; tais vínculos traduzem ocorrência em que o espírito feminino há que recolher-se ao santuário da renúncia e da esperança, se pretende a vitória. Para isso, para nivelar caminhos salvadores e aperfeiçoar sentimentos, o supremo Senhor criou o tépido e veludoso ninho do amor materno; contudo, quando a mulher se rebela, insensível às sublimes vibrações da inspiração divina, é difícil, senão impossível, executar o programa delineado. A infortunada criatura, dando asas ao condenável anseio, buscou socorrer-se de médicos que, amparados de nosso plano, se negaram a satisfazer-lhe o criminoso intento; valeu-se, então, de drogas venenosas, das quais vem abusando intensivamente. A situação mental dela é de lastimável desvario.

Findo o breve preâmbulo, Calderaro continuou:

— Mas não temos minuto a perder. Visitemo-la.

Decorridos alguns instantes, penetrávamos aposento confortável e perfumado.

Estirada no leito, jovem mulher debatia-se em convulsões atrozes. Ao seu lado, achavam-se a entidade materna, na esfera invisível aos olhos carnais, e uma enfermeira terrestre, dessas que, à força de presenciar catástrofes biológicas e dramas morais, se tornam menos sensíveis à dor alheia.

A genitora da enferma adiantou-se e informou-nos:
— A situação é muito grave! Ajudem-na, por piedade! Minha presença aqui se limita a impedir o acesso de elementos perturbadores que prosseguem, implacáveis, em ronda sinistra.

O assistente inclinou-se para a doente, calmo e atencioso, e recomendou-me cooperar no exame particular do quadro fisiológico.

A paisagem orgânica era das mais comoventes.

A compaixão fraterna dispensar-nos-á da triste narrativa referente ao embrião prestes a ser expulso.

Circunscrito à tese de medicação a mentes alucinadas, cabe-nos apenas dizer que a situação da jovem era impressionante e deplorável.

Todos os centros endócrinos estavam em desordem, e os órgãos autônomos trabalhavam aceleradamente. O coração acusava estranha arritmia, e debalde as glândulas sudoríparas se esforçavam por expulsar as toxinas em verdadeira torrente invasora. Nos lobos frontais, a sombra era completa; no córtex encefálico, a perturbação era manifesta; somente nos gânglios basais havia suprema concentração de energias mentais, fazendo-me perceber que a infeliz criatura se recolhera no campo mais baixo do ser, dominada pelos impulsos desintegradores dos próprios sentimentos, transviados e incultos. Dos gânglios basais, onde se aglomeravam as mais fortes irradiações da mente alucinada, desciam estiletes escuros, que assaltavam as trompas e os ovários, penetrando a câmara vital quais tenuíssimos venábulos de treva e incidindo sobre a organização embrionária de quatro meses.

O quadro era horrível de se ver.

Buscando sintonizar-me com a enferma, ouvia-lhe as afirmativas cruéis, no campo do pensamento:

"Odeio!... Odeio este filho intruso que não pedi à vida!... Expulsá-lo-ei!... Expulsá-lo-ei!..."

10.5   A mente do filhinho, em processo de reencarnação, como se fora violentada num sono brando, suplicava chorosa:

"Poupa-me! poupa-me! Quero acordar no trabalho! Quero viver e reajustar o destino... Ajuda-me! Resgatarei minha dívida!... Pagar-te-ei com amor..., não me expulses! Tem caridade!..."

"Nunca! nunca! Amaldiçoado sejas!" — dizia a desventurada, mentalmente. "Prefiro morrer a receber-te nos braços! Envenenas-me a vida, perturbas-me a estrada! Detesto-te! Morrerás!..."

E os raios trevosos continuavam descendo, a jacto contínuo. Calderaro ergueu a cabeça respeitável, encarou-me e perguntou:

— Compreendes a extensão da tragédia?

Respondi afirmativamente, sob indizível impressão.

Nesse instante de nossa angustiosa expectativa, Cecília dirigiu-se com decisão à enfermeira:

— Estou cansada, Liana, muitíssimo cansada, mas exijo a intervenção esta noite!

— Oh! mas assim, nesse estado?! — ponderou a outra.

— Sim, sim — tornou a doente, inquieta —; não quero adiar essa intervenção. Os médicos negaram-se a fazê-la, mas eu conto com a tua dedicação. Meu pai não pode saber disso, e eu odeio esta situação que terminantemente não conservarei.

Calderaro pousou a destra na fronte da responsável pelos serviços de enfermagem, no intuito evidente de transmitir alguma providência conciliatória, e a enfermeira ponderou:

— Tentemos algum repouso, Cecília. Modificarás possivelmente esse plano.

— Não, não — objetou a imprevidente futura mãe, com mau humor indisfarçável —; minha resolução é inabalável. Exijo a intervenção esta noite.

Malgrado a negativa peremptória, sorveu o cálice de sedativo que a companheira lhe oferecia, atendendo-nos a influência indireta.

Consumara-se a medida que o meu instrutor desejava.

Parcialmente desligada do corpo físico, em compulsória modorra, pela atuação calmante do remédio, Calderaro aplicou-lhe fluidos magnéticos sobre o disco fotossensível do aparelho visual, e Cecília passou a ver-nos, embora imperfeitamente, detendo-se, admirada, na contemplação da genitora.

Reparei, contudo, que se a mãezinha exuberava copioso pranto de comoção, a filha se mantinha impassível, não obstante o assombro que se lhe estampara no olhar.

A matrona desencarnada avançou, abraçou-se a ela e pediu ansiosa:

— Filha querida, venho a ti para que te não abalances à sinistra aventura que planejas. Reconsidera a atitude mental e harmoniza-te com a vida. Recebe minhas lágrimas como apelo do coração. Por piedade, ouve-me! Não te precipites nas trevas, quando a mão divina te abre as portas da luz. Nunca é tarde para recomeçar, Cecília, e Deus, em seu infinito devotamento, transforma as nossas faltas em redes de salvação.

A mente desvairada da ouvinte recordou as convenções sociais, de modo vago, como se vivera um minuto de pesadelo indefinível.

A palavra materna, porém, continuou:

— Socorre-te da consciência, antes de tudo! O preconceito é respeitável, a sociedade tem os seus princípios justos; entretanto, por vezes, filhinha, surge um momento na esfera do destino e da dor, em que devemos permanecer com Deus exclusivamente. Não abandones a coragem, a fé, o desassombro... A maternidade, iluminada pelo amor e pelo sacrifício, é feliz em qualquer parte, ainda mesmo quando o mundo, ignorando a causa de nossas

10.7 quedas, nos nega recursos à reabilitação, relegando-nos à reincidência e ao desamparo. Por agora, defrontarás com a tormenta de lágrimas; o temporal da incompreensão e da intolerância vergastará teu rosto... Contudo, a bonança voltará. O caminho é empedrado e árido, os espinhos dilaceram, mas terás, de encontro ao coração, um filhinho amoroso, indicando-te o futuro! Em verdade, Cecília, deverias erguer teu ninho de felicidade na árvore do equilíbrio, glorificando, em paz, a realização de cada dia e a bênção de cada noite; entretanto, não pudeste esperar... Cedeste aos golpes infrenes da paixão, abandonaste o ideal aos primeiros impulsos do desejo. Em vez de construir na tranquilidade e na confiança, em bases seguras, elegeste o caminho perigoso da precipitação. Agora, é imprescindível evitar o despenhadeiro fatal, contornar a voragem traiçoeira, agarrando-te ao salva-vidas do supremo dever. Volta, pois, minha filha, à serenidade do princípio, e resigna-te ante o novo aspecto que imprimiste ao próprio roteiro, aceitando o ministério da maternidade dolorosa com o sacrifício de encantadoras aspirações. No silêncio e na obscuridade da proscrição social, muitas vezes logramos a felicidade de conhecer-nos. O desprezo público, se precipita os mais fracos no esquecimento de si mesmos, ergue os fortes para Deus, sustentando-os no trilho anônimo das obrigações humildes, até à montanha da redenção. É provável que teu pai te amaldiçoe, que os nossos entes mais caros na Terra te menoscabem e tentem aviltar; no entanto, que martírio não enobrecerá o espírito disposto ao resgate dos seus débitos, com dedicação ao bem e serenidade na dor? Não será melhor a coroa de espinhos na fronte do que o monte de brasas na consciência? O mal pode perder-nos e transviar-nos; o bem retifica sempre. Além disto, se é certo que o padecimento da vergonha açoitará tua sensibilidade, a glória da maternidade resplenderá em teu caminho... Tuas lágrimas orvalharão uma flor querida e sublime, que será o teu filho, carne de tua carne, ser de teu ser. Que não fará no mundo a mulher que sabe renunciar? A tormenta rugirá, mas sempre fora de teu coração, porque, lá dentro, no santuário divino do amor, encontrarás em ti mesma o poder da paz até à vitória...

A enferma escutava, quase indiferente, disposta a não capitular. Recebia os apelos maternos, sem alteração de atitude. A mãezinha, porém, mobilizando todos os recursos ao seu alcance, prosseguia após intervalo mais longo:

— Ouve, Cecília! não te fiques nessa atitude impassível. Não isoles do cérebro o coração, a fim de que teu raciocínio se beneficie com o sentimento, de modo a venceres na prova áspera. Não te detenhas em primazias da forma física, nem suponhas que a beleza espiritual e eterna erga seu templo no corpo de carne, em trânsito para o pó. A morte virá de qualquer modo, trazendo a realidade que confunde a ilusão. Não persistas no véu da mentira. Humilha-te na renúncia construtiva, toma a tua cruz e segue para a compreensão mais alta... No teu madeiro de sofrimento íntimo, ouvirás enternecedoras vozes de um filho abençoado... Se te alancear o abandono do mundo, será ele, junto de ti, o suave representante da Divindade... Que falta te fará o manto das fantasias, se dois pequeninos braços de veludo te cinjam, carinhosos e fiéis, conduzindo-te à renovação para a vida superior?

Foi então que Cecília, infundindo-me assombro pela agressividade, objetou em pensamento:

"Como não me disseste isso antes? Na Terra, sempre satisfazias meus desejos. Nunca me permitiste o trabalho, favoreceste-me o ócio, fizeste-me crer em posição mais elevada que a das outras criaturas, incutiste-me a suposição de que todos os privilégios especiais me eram devidos; não me preparaste, enfim! Estou sozinha, com um problema atribulativo... Não tenho, agora, coragem de humilhar-me... Esmolar serviço remunerado não é o ideal que me deste, e enfrentar a vergonha e a miséria será para mim pior que morrer. Não, não!... Não desisto, nem mesmo à tua voz que, a despeito de tudo, ainda amo!... É-me impossível retroceder..."

10.9 A comovedora cena estarrecia. Observava eu, ali, o milenário conflito da ternura materna com a vida real.

A venerável matrona chorou com mais amargura, agarrou-se à filha com mais veemência e suplicou:

— Perdoa-me pelo mal que te fiz, querendo-te em demasia... Ó filha querida, nem sempre o amor humano avança vigilante! Por vezes a cegueira nos compele a erros clamorosos, que só o golpe da morte em geral expunge. Não consideras, porém, a minha dor? Reconheço minha participação indireta em teu presente infortúnio, mas entendendo, agora, a extensão e a delicadeza dos deveres maternos, não desejo que venhas colher espinhos no mesmo lugar onde sofro os resultados amargos de minha imprevidência. Porque eu haja errado por excesso de ternura, não te desvies por acúmulo de ódio e de inconformação. Depois do sepulcro, o dia do bem é mais luminoso, e a noite do mal é, sobremaneira, mais densa e tormentosa. Aceita a humilhação como bênção, a dor como preciosa oportunidade. Todas as lutas terrenas chegam e passam; ainda que perdurem, não se eternizam. Não compliques, pois, o destino. Submeto-me às tuas exprobrações. Merece-as quem, como eu, olvidou a floresta das realizações para a eternidade, retendo-se voluntariamente no jardim dos caprichos amenos, onde as flores não se ostentam mais do que por fugaz minuto. Esqueci-me, Cecília, da enxada benfazeja do esforço próprio, com a qual devera arrotear o solo de nossa vida, semeando dádivas de trabalho edificante, e ainda não chorei suficientemente para redimir-me de tão lastimável erro. Todavia, confio em ti, esperando que te não suceda o mesmo na áspera trilha da regeneração. Antes mendigar o pão de cada dia, amargar os remoques da maldade humana, aí na Terra, que menosprezar o pão das oportunidades de Deus, permitindo que a crueldade nos avassale o coração. O sofrimento dos vencidos no combate humano é celeiro de luz da experiência. A Bondade divina converte as nossas chagas em lâmpadas acesas para a alma. Bem-aventurados os que chegam à morte crivados de cicatrizes que denunciam a dura batalha. Para esses, uma perene era de paz fulgurará no horizonte, porquanto a realidade não os surpreende quando o frio do túmulo lhes assopra o coração. A verdade se lhes faz amiga generosa; a esperança e a compreensão lhes serão companheiras fiéis! Retorna, minha filha, a ti mesma; restaura a coragem e o otimismo, malgrado as nuvens ameaçadoras que te pairam na mente em delírio... Ainda é tempo! Ainda é tempo!

A enferma, contudo, fez supremo esforço por tornar ao invólucro de carne, pronunciando ríspidas palavras de negação, inopinadas e ingratas.

Desfazendo-se da influência pacificadora de Calderaro, regressou gradativamente ao campo sensorial, em gritos roucos.

O instrutor aproximou-se da genitora, chorosa, e informou:

— Infelizmente, minha amiga, o processo de loucura por insurgência parece consumado. Confiemo-la, agora, ao poder da Suprema Proteção divina.

Enquanto a entidade materna se debulhava em lágrimas, a doente, conturbada pelas emissões mentais em que se comprazia, dirigiu-se à enfermeira, reclamando:

— Não posso! Não posso mais! Não suporto... A intervenção, agora! Não quero perder um minuto!

Fixando a companheira, por alguns instantes, com terrífica expressão, ajuntou:

— Tive um pesadelo horrível... Sonhei que minha mãe voltava da morte e me pedia paciência e caridade! Não, não!... Irei até o fim! Preferirei o suicídio, afinal!

Inspirada pelo meu orientador, a enfermeira fez ainda várias ponderações respeitáveis.

Não seria conveniente aguardar mais tempo? Não seria o sonho um providencial aviso? O abatimento de Cecília era enorme. Não se sentiria amparada por uma intervenção espiritual? Julgava, desse modo, oportuno adiar a decisão.

A paciente, no entanto, ficou irredutível. E, com assombro nosso, ante a genitora desencarnada, em pranto, a operação começou, com sinistros prognósticos para nós, que observávamos a cena, sensibilizadíssimos.

Nunca supus que a mente desequilibrada pudesse infligir tamanho mal ao próprio patrimônio.

A desordem do cosmo fisiológico acentuou-se, instante a instante.

Penosamente surpreendido, prossegui no exame da situação, verificando com espanto que o embrião reagia ao ser violentado, como que aderindo, desesperadamente, às paredes placentárias.

A mente do filhinho imaturo começou a despertar à medida que aumentava o esforço de extração. Os raios escuros não partiam agora só do encéfalo materno; eram igualmente emitidos pela organização embrionária, estabelecendo maior desarmonia.

Depois de longo e laborioso trabalho, o entezinho foi retirado afinal...

Assombrado, reparei, todavia, que a ginecologista improvisada subtraía ao vaso feminino somente pequena porção de carne inânime, porque a entidade reencarnante, como se a mantivessem atraída ao corpo materno forças vigorosas e indefiníveis, oferecia condições especialíssimas, adesa ao campo celular que a expulsava. Semidesperta, num atro pesadelo de sofrimento, refletia extremo desespero; lamentava-se com gritos aflitivos; expedia vibrações mortíferas; balbuciava frases desconexas.

Não estaríamos, ali, perante duas feras terrivelmente algemadas uma à outra? O filhinho que não chegara a nascer transformara-se em perigoso verdugo do psiquismo materno. Premindo com impulsos involuntários o ninho de vasos do útero, precisamente na região onde se efetua a permuta dos sangues materno e fetal, provocou ele o processo hemorrágico, violento e abundante.

Observei mais.

Deslocado indebitamente e mantido ali por forças incoercíveis, o organismo perispirítico da entidade, que não chegara a renascer, alcançou em movimentos espontâneos a zona do coração. Envolvendo os nódulos da aurícula direita, perturbou as vias do estímulo, determinando choques tremendos no sistema nervoso central.

Tal situação agravou o fluxo hemorrágico, que assumiu intensidade imprevista, compelindo a enfermeira a pedir socorros imediatos, depois de delir, como pôde, os vestígios de sua falta.

— Odeio-o! odeio-o! — clamava a mente materna em delírio, sentindo ainda a presença do filho na intimidade orgânica. — Nunca embalarei um intruso que me lançaria à vergonha!

Ambos, mãe e filho, pareciam agora, por dizer mais exatamente, sintonizados na onda de ódio, porque a mente dele, exibindo estranha forma de apresentação aos meus olhos, respondia, no auge da ira:

— Vingar-me-ei! Pagarás ceitil por ceitil! Não te perdoarei!... Não me deixaste retomar a luta terrena, na qual a dor, que nos seria comum, me ensinaria a desculpar-te pelo passado delituoso e a esquecer minhas cruciantes mágoas... Renegaste a prova que nos conduziria ao altar da reconciliação. Cerraste-me as portas da oportunidade redentora; entretanto, o maléfico poder, que impera em ti, habita igualmente minha alma... Trouxeste à tona de minha razão o lodo da perversidade que dormia dentro em mim. Negas-me o recurso da purificação, mas estamos agora novamente unidos e arrastar-te-ei para o abismo... Condenaste-me à morte, e, por isso, minha sentença é igual. Não me deste o descanso, impediste meu retorno à paz da consciência, mas não ficarás por mais tempo na Terra... Não me quiseste para o serviço do amor... Portanto, serás novamente minha para a satisfação do ódio. Vingar-me-ei! Seguirás comigo!

10.13 Os raios mentais destruidores cruzavam-se, em horrendo quadro, de espírito a espírito.

Enquanto observava a intensificação das toxinas, ao longo de toda a trama celular, Calderaro orava, em silêncio, invocando o auxílio exterior, ao que me pareceu. Efetivamente, daí a instantes, pequena turma de trabalhadores espirituais penetrou o recinto. O orientador ministrou instruções. Deveriam ajudar a desventurada mãe, que permaneceria junto da filha infeliz até a consumação da experiência.

Em seguida, o assistente convidou-me a sair, acrescentando:

— Verificar-se-á a desencarnação dentro de algumas horas. O ódio, André, diariamente extermina criaturas no mundo, com intensidade e eficiência mais arrasadoras que as de todos os canhões da Terra troando a uma vez. É mais poderoso, entre os homens, para complicar os problemas e destruir a paz, que todas as guerras conhecidas pela Humanidade no transcurso dos séculos. Não me ouves mera teoria. Viveste conosco, nestes momentos, um fato pavoroso, que todos os dias se repete na esfera carnal. Estabelecido o império de forças tão detestáveis sobre essas duas almas desequilibradas, que a Providência procurou reunir no instituto da reencarnação, é necessário confiá-las doravante ao tempo, a fim de que a dor opere os corretivos indispensáveis.

— Oh! — exclamei aflito, contemplando o duelo de ambas as mentes torturadas —, como ficarão? Permanecerão entrelaçadas assim? E por quanto tempo?

Calderaro fitou-me com o acabrunhamento de um soldado valoroso que perdeu temporariamente a batalha e informou:

— Agora, nada vale a intervenção direta. Só poderemos cooperar com a oração do amor fraterno, aliada à função renovadora da luta cotidiana. Consumou-se para ambos doloroso processo de obsessão recíproca, de amargas consequências no espaço e no tempo, e cuja extensão nenhum de nós pode prever.

11
Sexo

1.1 Ainda sob a impressão desagradável colhida do drama de Cecília, acompanhei Calderaro a curioso centro de estudos, onde elevados mentores ministram conhecimentos a companheiros aplicados ao trabalho de assistência na crosta.

— Não é templo de revelações avançadas — informou o instrutor —, mas instituição de socorro eficiente às ideias e empreendimentos dos colaboradores militantes nas oficinas de amparo espiritual; cátedra de amizade, criada para discípulos a quem o esforço perseverante enobrece.

Ante minha indagação de aprendiz, continuou, bondoso:

— Esses amigos reúnem-se uma vez por semana, a fim de ouvirem mensageiros autorizados no tocante a questões que interessam de perto nosso ministério de auxílio aos homens. Estimo teu comparecimento hoje, porquanto o emissário da noite comentará problemas atinentes ao sexo. Uma vez que estudas, nestes dias, os enigmas da loucura, com tempo curto para a realização de experiências diretas, a palestra vem ao encontro de nossos desejos.

Não foi possível maior conversação preliminar.

O assistente observou que os trabalhos já estariam iniciados; seguimos, por isso, sem maiores delongas. Com efeito, encontramos a assembleia em plena função. Pouco mais de duas centenas de companheiros do nosso plano ouviam, atenciosos, iluminado condutor de almas.

Sentamo-nos, por nossa vez, respeitosamente à escuta.

O portador da sabedoria, cercado de viva luminosidade, prelecionava sem afetação. Palavra bem timbrada, penetrando-nos o íntimo pela inflexão da sinceridade, falava simples:

— No exame das causas da loucura, entre individualidades, sejam encarnadas, sejam ausentes da carne, a ignorância quanto à conduta sexual é dos fatores mais decisivos.

"A incompreensão humana dessa matéria equivale a silenciosa guerra de extermínio e de perturbação, que ultrapassa, de muito, as devastações da peste referidas na história da Humanidade. Vocês sabem que só a epidemia de bubões, no século VI de nossa era, chamada 'peste de Justiniano', eliminou quase cinquenta milhões de pessoas na Europa e na Ásia... Pois esse número expressivo constitui bagatela comparado com os milhões de almas que as angústias do sexo dilaceram todos os dias. Problema premente este, que já ensandeceu muitos cérebros de escol, não podemos atacá-lo a tiros de verbalismo, de fora para dentro, à moda dos médicos superficiais, que prescrevem longos conselhos aos pacientes, tendo, na maioria das vezes, absoluto desconhecimento da enfermidade.

"Agora, que nos distanciamos das imposições mais rijas da forma, sem nos libertarmos, contudo, dos ascendentes fundamentais de suas leis, que ainda nos subordinam as manifestações, compreendemos que os enigmas do sexo não se reduzem a meros fatores fisiológicos. Não resultam de automatismos nos campos de estrutura celular, quais aqueles que caracterizam os órgãos genitais masculinos e femininos, em verdade substancialmente idênticos, diferençando-se unicamente na expressão de sinalética. A este respeito formulamos conceitos mais avançados. Se aí residem forças procriadoras dominantes, atendendo aos estatutos da natureza terrestre, reguladores da vida física, temos, na inquietação sexual, fenômeno peculiar ao nosso psiquismo, em marcha para superiores zonas da evolução.

1.3 "Doloroso é, porém, verificar a desarmonia em que se afundam os homens, com sombrios reflexos nas esferas imediatas à luta carnal. Inúmeros movimentos libertadores estalaram através dos séculos, no anseio da vida melhor. Guerras sangrentas de povo contra povo, revoluções civis espalhando padecimentos inomináveis têm sido alimentadas na Terra, no curso do tempo, em nome de princípios regeneradores, segundo os quais se abrem novas conquistas do direito do mundo; no entanto, o cativeiro da ignorância, no campo sexual, continua escravizando milhões de criaturas.

"Inútil é supor que a morte física ofereça solução pacífica aos espíritos em extremo desequilíbrio, que entregam o corpo aos desregramentos passionais. A loucura em que se debatem não procede de simples modificações do cérebro: dimana da desassociação dos centros perispiríticos, o que exige longos períodos de reparação.

"Indiscutivelmente, para a maioria dos encarnados, a fase juvenil das forças fisiológicas representa delicado estádio de sensações, em virtude das leis criadoras e conservadoras que regem a família humana; isto, porém, é acidente e não define a realidade substancial. A sede do sexo não se acha no corpo grosseiro, mas na alma, em sua sublime organização.

"Na esfera da crosta, distinguem-se homens e mulheres segundo sinais orgânicos, específicos. Entre nós, prepondera ainda o jogo das recordações da existência terrena, em trânsito, como nos achamos, para as regiões mais altas; nestas sabemos, porém, que feminilidade e masculinidade constituem característicos das almas acentuadamente passivas ou francamente ativas.

"Compreendemos, destarte, que na variação de nossas experiências adquirimos, gradativamente, qualidades divinas, como sejam a energia e a ternura, a fortaleza e a humildade, o poder e a delicadeza, a inteligência e o sentimento, a iniciativa e a intuição, a sabedoria e o amor, até lograrmos o supremo equilíbrio em Deus.

"Convictos desta realidade universal, não podemos esquecer que nenhuma exteriorização do instinto sexual na Terra, qualquer que seja a sua forma de expressão, será destruída, senão transmudada no estado de sublimação. As manifestações dos próprios irracionais participam do mesmo impulso ascensional. Nos povos primitivos, a eclosão sexual primava pela posse absoluta. A personalidade integralmente ativa do homem dominava a personalidade totalmente passiva da mulher.

"O trabalho paciente dos milênios transformou, todavia, essas relações. A mulher-mãe e o homem-pai deram acesso a novos sopros de renovação do espírito. Com bases nas experiências sexuais, a tribo converteu-se na família, a taba metamorfoseou-se no lar, a defesa armada cedeu ao direito, a floresta selvagem transformou-se na lavoura pacífica, a heterogeneidade dos impulsos nas imensas extensões de território abriu campo à comunhão dos ideais na pátria progressista, a barbárie ergueu-se em civilização, os processos rudes da atração transubstanciaram-se nos anseios artísticos que dignificam o ser, o grito elevou-se ao cântico; e, estimulada pela força criadora do sexo, a coletividade humana avança, vagarosamente embora, para o supremo alvo do divino amor. Da espontânea manifestação brutal dos sentidos menos elevados a alma transita para gloriosa iniciação.

11.5 "Desejo, posse, simpatia, carinho, devotamento, renúncia, sacrifício constituem aspectos dessa jornada sublimadora. Por vezes, a criatura demora-se anos, séculos, existências diversas de uma estação a outra. Raras individualidades conseguem manter-se no posto da simpatia, com o equilíbrio indispensável. Muito poucas atravessam a província da posse sem duelos cruéis com os monstros do egoísmo e do ciúme, aos quais se entregam desvairadamente. Reduzido número percorre os departamentos do carinho sem se algemarem, por largo trecho, aos gnomos do exclusivismo. E, às vezes, só após milênios de provas cruciantes e purificadoras, consegue a alma alcançar o zênite luminoso do sacrifício para a suprema libertação, no rumo de novos ciclos de unificação com a Divindade.

"O êxtase do santo foi, um dia, mero impulso, como o diamante lapidado — gota celeste eleita para refletir a claridade divina — viveu na aluvião, ignorado entre seixos brutos. Claro está que, assim como se submete o diamante ao disco do lapidário, para atingir o pedestal da beleza, assim também o instinto sexual, para coroar-se com as glórias do êxtase, há que se dobrar aos imperativos da responsabilidade, às exigências da disciplina, aos ditames da renúncia.

"Estas conclusões, contudo, não nos devem induzir a programas de santificação compulsória no mundo carnal. Nenhum homem conseguiria negar a fase da evolução em que se encontra. Não podemos exigir que o hotentote inculto envergue a beca de um catedrático e se ponha, de um dia para outro, a ensinar o Direito romano. Irrisório seria, pois, reclamar do homem de evolução mediana a conduta do santo. A Natureza, representação da inesgotável Bondade, é mãe benigna que oferece trabalho e socorro a todos os filhos da Criação. Sua determinação de amparar-nos é sempre tanto mais forte, quanto mais decidido é o nosso propósito de progredir na direção do Bem supremo.

"Não desejamos, portanto, preconizar no mundo normas rigoristas de virtude artificial, nem favorecer qualquer regime de relações inconscientes. Nossa bandeira é, sobretudo, a do entendimento fraternal. Trabalhemos para que a luz da compreensão se faça entre os nossos amigos encarnados, a fim de que as angústias afetivas não arrojem tantas vítimas à voragem da morte, intoxicadas de criminosas paixões.

"Devido à incompreensão sexual, incontáveis crimes campeiam na Terra, determinando estranhos e perigosos processos de loucura, em toda parte.

"De quando em quando, uma que outra vítima procura os hospitais de alienados, submete-se ao tratamento médico, como o operário que traz à oficina de consertos seu instrumento danificado; nos hospícios encontramos, porém, tão somente aqueles que desgalgaram até ao fundo do abismo, amargurados e vencidos. Milhões de irmãos nossos se conservam semiloucos nos lares ou nas instituições; são os companheiros incapazes do devotamento e da renúncia, a submergirem, pouco a pouco, no caliginoso tijuco das alucinações... De mente desvairada, fixa no socavão da subconsciência, perdem-se no campo dos automatismos inferiores, obstinando-se no conservarem deprimentes estados psíquicos. O ciúme, a insatisfação, o desentendimento, a incontinência e a leviandade alastram terríveis fenômenos de desequilíbrio.

"Inquietantes quadros mentais se pintam na Terra, compelindo-nos a estafante serviço socorrista, de modo a limitar o círculo de infortúnio e de pavor dos que se lançam, incautos, a temerárias aventuras do sentimento animalizado.

"Não solucionaremos tão complexo problema do mundo simplesmente à força de intervenção médica, embora seja admirável a contribuição da Ciência no terreno dos efeitos, sem atingir, contudo, a intimidade das causas. A personalidade não é obra da usina interna das glândulas, mas produto da química mental.

1.7 "A endocrinologia poderá fazer muito com uma injeção de hormônios, à guisa de pronto-socorro às coletividades celulares, mas não sanará lesões do pensamento. A genética, mais hoje, mais amanhã, poderá interferir nas câmaras secretas da vida humana, perturbando a harmonia dos cromossomos, no sentido de impor o sexo ao embrião; todavia, não atingirá a zona mais alta da mente feminina ou masculina, que manterá característicos próprios, independentemente da forma exterior ou das convenções estatuídas. A Medicina inventará mil modos de auxiliar o corpo atingido em seu equilíbrio interno; por essa tarefa edificante, ela nos merecerá sempre sincera admiração e fervente amor; entretanto, compete a nós outros praticar a medicina da alma, que ampare o espírito enleado nas sombras...

"É mister acender, em derredor de nossos irmãos encarnados na Terra, a luz da compaixão fraterna, traçando caminhos definidos à responsabilidade individual. Haja mais amor ante os vales da demência do instinto, e as derrocadas cederão lugar a experiências santificantes.

"Como fazer valer o abençoado serviço do médico à vítima da angústia sexual, se tem a defrontá-lo, vibrante, a hostilidade da família? Como salvar doentes da alma, numa instituição de benemerência, se o organismo social esmaga os enfermos com todo o peso de sua opinião e de sua autoridade? Naturalmente, constituiria pieguice rogar à Sociologia a transformação imediata de seus códigos, ou impor à sociedade humana certas normas de tolerância, incompatíveis com as suas necessidades de defesa. Mas podemos manter louvável serviço de compreensão mais ampla, melhorar as disposições dos nossos amigos encarnados na crosta do mundo e despertá-los lentamente para a solução que nos interessa a todos.

"O amor espiritualizado, filho da renúncia cristã, é a chave **11** capaz de abrir as portas do abismo para onde rolaram e rolam milhares de criaturas, todos os dias.

"Distribuamos a bênção do entendimento entre os homens; estendamos mão forte a todos os espíritos que se encontram prisioneiros do distúrbio das sensações, fazendo-os sentir que as oficinas do trabalho renovador permanecem abertas a todos os filhos de Deus, aperfeiçoando-lhes os sentimentos, sublimando-lhes os impulsos, dilatando-lhes a capacidade espiritual.

"Lembremos aos corações desalentados que tal é o sexo em face do amor, quais são os olhos para a visão, e o cérebro para o pensamento: não mais do que aparelhamento de exteriorização. Erro lamentável é supor que só a perfeita normalidade sexual, consoante as respeitáveis convenções humanas, possa servir de templo às manifestações afetivas. O campo do amor é infinito em sua essência e manifestação. Insta fugir às aberrações e aos excessos; contudo, é imperioso reconhecer que todos os seres nasceram no Universo para amar e serem amados. Por vezes, vigoram para muitos deles, temporariamente, os imperativos da prova benéfica, os deveres do estatuto expiatório, as exigências do serviço especializado, em que estudantes, devedores e missionários se obrigam a longas fases de fome e sede do coração. Isso, porém, não representa obstáculo ao amor. Jesus não partilhou o matrimônio normal na Terra, e, no entanto, a família de seu coração cresce com os dias; suas forças não geraram formas passageiras nos círculos carnais, e, contudo, suas energias fecundantes renovaram a civilização, transformando-lhe o curso, prosseguindo, até hoje, no aprimoramento do mundo. Simbologia sublime transparece da conduta do Mestre que, desse modo, se inclinou para os vencidos da convenção humana, solitários e humilhados, fazendo-os ver que é possível cooperar na extensão do infinito Bem, amando e abnegando-se, com exclusão do egoísmo e do propósito inferior de serem amados, segundo os caprichos próprios.

11.9 "A construção da felicidade real não depende do instinto satisfeito. A permuta de células sexuais entre os seres encarnados, garantindo a continuidade das formas físicas em processo evolucionário, é apenas um aspecto das multiformes permutas de amor. Importa reconhecer que o intercâmbio de forças simpáticas, de fluidos combinados, de vibrações sintonizadas entre almas que se amam, paira acima de qualquer exteriorização tangível de afeto, sustentando obras imperecíveis de vida e de luz, nas ilimitadas esferas do Universo.

"Desenvolvamos, pois, carinhosa assistência aos que desesperam no mundo, sentindo-se na transitória condição de deserdados. Ensinemo-los a libertar a mente das malhas do instinto, abrindo-lhes caminho aos ideais do amor santificante, recordando-lhes que fixar o pensamento no sexo torturado, com desprezo dos demais departamentos da realização espiritual, através do cosmo orgânico, é estacionar, inutilmente, no trilho evolutivo; é entregar-se, inerme, à influência de perigosos monstros da imaginação, quais o despeito e a inveja, o desespero e a amargura, que abrem ruinosas chagas na alma e que cominam ao exclusivismo, pena que pode avultar até à loucura e à inconsciência. Convidemo-los a rasgar horizontes mais longes no coração. O amor encontrará sempre mundos novos. E para que tais descobertas se coroem de luz divina, bastará à criatura o abandono da ociosidade, que por si mesma combaterá a nefanda ignorância. Dentro de cada um de nós esplende, sem desmaio, a claridade libertadora, no pensamento de renovação para o bem comum que devemos cultivar e intensificar em cada dia da vida.

"O cativeiro nos tormentos do sexo não é problema que possa ser solucionado por literatos ou médicos a agir no campo exterior: é questão da alma, que demanda processo individual de cura, e sobre esta só o espírito resolverá no tribunal da própria consciência. É inegável que todo auxílio externo é valioso e respeitável, mas cumpre-nos reconhecer que os escravos das perturbações do campo sensorial só por si mesmos serão liberados, isto é, pela dilatação do entendimento, pela compreensão dos sofrimentos alheios e das dificuldades próprias, pela aplicação, enfim, do 'amai-vos uns aos outros', assim na doutrinação, como no imo da alma, com as melhores energias do cérebro e com os melhores sentimentos do coração."

Notei que a preleção terminara em meio ao respeito geral.

A palavra do mensageiro fascinara-me. Aquelas noções de sexologia eram novas para mim. Não eram repetições de compêndios descritivos, não eram fruto de frias observações de cientistas e escritores, preocupados em armar ao efeito com palavras balofas. Nasciam do verbo inflamado de amor fraternal de um orientador dedicado às necessidades de seus irmãos ainda frágeis e menos felizes.

Fizera-se, em torno, certa movimentação. Compreendi que os presentes poderiam formular perguntas relativas ao tema da noite, e, com efeito, fizeram-se várias indagações, com respostas preciosas, por elucidativas e edificantes.

O inquérito educativo continuava proveitoso, quando um companheiro ventilou certa questão que me aguçou a curiosidade.

— Venerável instrutor — disse reverente —, nos últimos tempos, na Terra, os psicologistas encarnados, em número considerável, esposaram os princípios freudianos como bases de investigação dos distúrbios da alma. Para o grande médico austríaco, quase todas as perturbações psíquicas se radicam no sexo desviado. Alguns discípulos dele, porém, modificaram-lhe algo as teorias. Corrigindo a tese das alucinações eróticas que a psicanálise aplicou largamente às próprias crianças, no estudo dos sonhos e das emoções, pensadores eminentes apuseram a afirmativa de que todo homem e toda mulher são portadores do desejo inato de se darem importância, o qual os compele a manter impulsos primitivistas de dominação; outros expoentes da cultura intelectual asseveram, a seu turno, que o ser humano é repositório de todas as experiências da raça, trazendo consigo vasto arsenal de tendências para determinadas linhas do pensamento.

O consulente fez uma pausa, ante o silêncio geral que reinava em derredor de sua valiosa indagação, e prosseguiu:

— Sabemos hoje, distanciados do corpo denso de carne, que a vida do espírito é desconcertante em surpresas para a ciência terrestre; entretanto, já que nos consagramos à tarefa de auxiliar os companheiros torturados da crosta planetária, não poderíamos receber elucidações adequadas a respeito, com o fim de passá-las adiante?

O sábio instrutor não se fez rogado e esclareceu:

— Já sei o que deseja. Refere-se você aos movimentos da Psicologia analítica, chefiados por Freud[26] e por duas correntes distintas de seus colaboradores. O notável cientista centralizou o ensino no impulso sexual, conferindo-lhe caráter absoluto, enquanto as duas correntes de psicologistas, inicialmente filiadas a ele, se diferenciaram na interpretação. A primeira estuda o anseio congênito da criatura, no que se refere ao relevo pessoal, enquanto a segunda proclama que, além da satisfação do sexo e da importância individualista, existe o impulso da vida superior, que tortura o homem terrestre mais aparentemente feliz. Para o círculo de estudiosos essencialmente freudianos, todos os problemas psíquicos da personalidade se resumem à angústia sexual; para grande parte de seus colaboradores, as causas se estendem à aquisição de poder e à ideia de superioridade. Diremos, por nossa vez, que as três escolas se identificam, portadoras todas elas

---

[26] N.E.: A Psicologia Analítica foi desenvolvida por Carl Gustav Jung (1875–1861), depois de seu rompimento, por motivos teóricos, com Sigmund Freud (1856–1938), que desenvolveu a Teoria da Psicanálise. Freud não aceitava o interesse de Jung pelo espiritual como campo de estudo em si, e Jung discordava das teorias do trauma sexual propostas por Freud. Depois da separação, Jung pode continuar seus estudos, agora muito mais voltados para os estudos da relação indivíduo e imaginação.

de certa dose de razão, faltando-lhes, todavia, o conhecimento básico do reencarnacionismo. Representam belas e preciosas casas dos princípios científicos, sem, contudo, o telhado da lógica. Não podemos afirmar que tudo, nos círculos carnais, constitua sexo, desejo de importância e aspiração superior; no entanto, chegados à compreensão de agora, podemos assegurar que tudo na vida é impulso criador. Todos os seres que conhecemos, do verme ao anjo, são herdeiros da Divindade que nos confere a existência, e todos somos depositários de faculdades criadoras. O vegetal, instigado pelo heliotropismo, surge na paisagem, distribuindo a vida e renovando-a. O pirilampo cintila na sombra, buscando perpetuar-se. O batráquio sente vibrações de amor e de paternidade nos recessos do charco. Aves minúsculas viajam longas distâncias, colhendo material para tecer um ninho. A fera olvida a índole selvagínea, ao lamber, com ternura, um filho recém-nato. E mais da metade dos milhões de espíritos encarnados na crosta da Terra, de mente fixa na região dos movimentos instintivos, concentram suas faculdades no sexo, do qual se derivam naturalmente os mais vastos e frequentes distúrbios nervosos; constituem eles compactas legiões, nas adjacências da paisagem primitiva da evolução planetária, irmãos nossos na infância do conhecimento, que ainda não sabem criar sensações e vida senão mobilizando os recursos da força sexual. Grande parte de criaturas, contudo, havendo conquistado a razão, acima do instinto, permanecem nos desatinos da prepotência, seduzidas pelo capricho autoritário, famintas de evidência e realce, ainda que atidas a trabalho proveitoso e a paixões nobres, muitas vezes... Pequeno grupo de homens e de mulheres, por fim, após atingir o equilíbrio sexual na zona instintiva do ser e depois de obter os títulos que lhes confere seu trabalho e com os quais dominam na vida, regendo as energias próprias, em pleno regime de responsabilidade individual, passam a fixar-se na região sublime, na superconsciência, não mais encontrando a alegria integral no contentamento do corpo físico ou na evidência pessoal; procuram alcançar os círcu-

11.

los mais altos da vida, absorvidos em idealismo superior; sentem-se no limiar de esferas divinas, já desde a estrada nevoenta da carne, à maneira do viajor que, após vencer caminhos ásperos na treva noturna, estaca, desajustado, entre as derradeiras sombras da noite e as promessas indefiníveis da aurora... Para esses, o sexo, a importância individual e as vantagens do imediatismo terrestre são sagrados pelas oportunidades que oferecem aos propósitos de bem fazer; entretanto, no santuário de suas almas resplandece nova luz... A razão particularista converteu-se em entendimento universal. Cresceram-lhes os sentimentos sublimados na direção do campo superior. Pressentem a Divindade e anseiam pela identificação com ela. São os homens e as mulheres que, havendo realizado os mais altos padrões humanos, se candidatam à angelitude...

.13 "De um modo ou de outro, porém, tudo isto são sempre as faculdades criadoras, herdadas de Deus, em jogo permanente nos quadros da vida. Todo ser é impulsionado a criar, na organização, conservação e extensão do Universo!..."

O instrutor estampou significativa expressão fisionômica, imprimiu longa pausa à preleção em curso e, em seguida, acrescentou bem-humorado:

— Muita vez, as criaturas instituem o mal, desviam a corrente natural das circunstâncias benéficas, envenenam as oportunidades, estacionando longuíssimo tempo em tarefas reparadoras ou expiatórias; entretanto, ainda aí é forçoso observar a manifestação incessante do poder criador que nos é próprio, mesmo naqueles que se transviam... Em verdade, caem nos despenhadeiros do crime, lançam-se aos vales da sombra, mas, organizando e reorganizando as próprias ações, adquirem o patrimônio bendito da experiência; e, com a experiência, alcançam a luz, a paz, a sabedoria e o amor com que se aproximam de Deus. Concluímos, deste modo, que, se a Psicologia analítica de Freud e de seus colaboradores avançou muito no campo da investigação e do conhecimento, resolvendo, em parte, certos enigmas do psiquismo humano, falta-lhe, no entanto, a chave da reencarnação, para solucionar integralmente as questões da alma. Impossível é resolver o assunto em caráter definitivo, sem as noções de evolução, aperfeiçoamento, responsabilidade, reparação e eternidade. Não vale descobrir complexos e frustrações, identificar lesões psíquicas e deficiências mentais, sem as remediar... Em suma, não satisfaz o simples exame da casca: é essencial atingir o cerne e determinar modificações nas causas. Para isto, é imprescindível confessar a realidade do reencarnacionismo e da imortalidade. Até lá, portanto, auxiliemos nossos amigos do mundo na conquista da confiança em si mesmos, na penetração da esperança divina e no contínuo autoaprimoramento pelo trabalho redentor.

Calou-se o emissário, sorridente.

Outras perguntas surgiram, interessantes e oportunas, obtendo respostas claras e edificantes, com real proveito para todos os ouvintes.

Encerrada a reunião, retirei-me em silêncio, ao lado de Calderaro, que também se recolhia, como a reter a luz reveladora dos conceitos ouvidos. Não sei o que pensaria o prestimoso assistente, submerso em funda meditação. Reconhecia tão só que, por minha vez, descobrira novo campo de conhecimento na província da sexologia. Daquele momento em diante, outras noções de amor desabrochavam-me na consciência, iluminando-me o ser.

12
Estranha enfermidade

12.1   Acompanhando o abnegado irmão dos sofredores, penetrei confortável residência, onde Calderaro me conduziu, incontinente, à presença de um nobre cavalheiro em repouso.

Achamo-nos em elegante aposento, decorado em ouro-velho. Magnífico tapete completava a graça ambiente, exibindo caprichosos arabescos em harmonia com os desenhos do teto.

Estirado num divã, o enfermo que visitávamos engolfava-se em profunda meditação. Ao lado, humilde entidade de nossa esfera como que nos aguardava.

Aproximou-se e cumprimentou-nos, gentil.

Às fraternas interpelações do assistente, respondeu solícita:

— Fabrício vai melhorando; no entanto, continuam os fenômenos de angústia. Tem estado inquieto, aflito...

O orientador lançou expressivo olhar ao doente e insistiu:

— Mantém ainda o autodomínio? Não se abandonou totalmente às impressões destrutivas?

A interlocutora, revelando contentamento, informou:

— A divina Misericórdia não tem faltado. O desequilíbrio integral, por enquanto, não erigiu seu império. Em nome de Jesus, nossa colaboração tem prevalecido.

Calderaro, então, fraternalmente indagou, dirigindo-se a mim:

— Chegaste, alguma vez, a examinar casos declarados de esquizofrenia?

Não adquirira conhecimentos especializados da matéria; todavia, não ignorava constituir esse morbo uma das mais inquietantes questões da Psiquiatria moderna.

— Este ramo ingrato da Ciência, que estuda a patologia da alma — declarou o companheiro, compreendendo a minha insipiência —, é, há muito tempo, campo de batalha entre fisiologistas e psicologistas; tal conflito é, em verdade, lamentável e bizantino, uma vez que ambas as correntes possuem razões substanciais nos argumentos com que se digladiam. Somos, contudo, forçados a reconhecer que a Psicologia ocupa a melhor posição, por escalpelar o problema nas adjacências das causas profundas, ao passo que a Fisiologia analisa os efeitos e procura remediá-los na superfície.

Logo após, o assistente recomendou-me examinar a esfera mental do visitado.

Auscultei-lhe o íntimo, ficando aterrado com as inquietudes que lhe povoavam o ser. O cérebro apresentava anomalias estranhas. Toda a face inferior mostrava manchas sombrias. Os distúrbios da circulação, do movimento e dos sentidos eram visíveis. Calderaro apresentara-me Fabrício, classificando-o como esquizofrênico; mas não estaríamos, ali, perante um caso de neurastenia cerebrocardíaca?

O instrutor ouviu-me pacientemente e observou:

— Diagnóstico exato, no aspecto em que o nosso amigo se apresenta hoje. A esquizofrenia, contudo, originando-se de sutis perturbações do organismo perispirítico, traduz-se no vaso físico por surpreendente conjunto de moléstias variáveis e indeterminadas. No momento, temos aqui a doença de Krishaber com todos os característicos especiais.

12.3 Mostrando grave expressão no semblante, acrescentou:

— Repara, contudo, além dos efeitos mutáveis. Analisa a mente e os domínios das sensações.

Lancei mais profundamente a sonda de minha observação sobre os quadros interiores do enfermo e percebi-lhe imagens torturantes na tela da memória.

Ensimesmado, Fabrício não se dava conta do que ocorria no plano externo. Braços imóveis, olhos parados, mantinha-se distante das sugestões ambientes; no íntimo, todavia, a zona mental semelhava-se a fornalha ardente.

A imaginação superexcitada detinha-se a *ouvir o passado*... Recordava-lhe a figura de um velhinho agonizante. Escutava-lhe as palavras da última hora do corpo, a recomendar-lhe aos cuidados três jovens presentes também ali, na paisagem de suas reminiscências. O moribundo devia ser-lhe o genitor, e os rapazes, irmãos. Conversavam, entre si, lacrimosos. De repente, modificavam-se-lhe as lembranças. O ancião e os jovens pareciam revoltados contra ele, acusando-o. Nomeavam-no com descaridosas designações...

O doente ouvia as vozes internas, ansioso, amargurado. Desejava desfazer-se do pretérito, pagaria pelo esquecimento qualquer preço, ansiava de fugir a si próprio, mas em vão: sempre as mesmas recordações atrozes vergastando-lhe a consciência.

Verificava-lhe eu os estragos orgânicos, resultantes do uso intensivo de analgésicos. Aquele homem deveria estar duelando consigo mesmo, desde muitos anos.

Achava-me no exame da situação, quando uma senhora idosa surgiu no aposento, tentando chamá-lo à realidade.

— Vamos, Fabrício! Não se alimenta hoje?

O interpelado vagueou o olhar pela sala, esboçou uma resposta negativa sem palavras e deixou-se ficar na mesma posição.

A matrona insistiu, afável, mas não conseguiu demovê-lo. E porque prosseguisse, atenciosa, buscando ministrar-lhe um caldo, o enfermo levantou-se, de súbito, como se houvera repentinamente enlouquecido. Esbravejou expressões inconvenientes e ingratas; rubro de cólera, repeliu o oferecimento, surpreendendo-me pela crise de nervos destrambelhados.

A esposa regressou ao interior da casa, enxugando os olhos, enquanto Calderaro me esclareceu comovido:

— Está no limiar da loucura, e ainda não enveredou francamente pelo terreno da alienação mental, graças à dedicação de velha parenta desencarnada que o assiste, vigilante.

Logo após, o assistente o submeteu a operações magnéticas de reconforto, vigorando-lhe a resistência.

Ante o neurastênico, mais calmo agora, narrou com serenidade:

— Nosso irmão enfermo teve a infelicidade de apropriar-se indebitamente de grande herança, depois de haver prometido ao genitor moribundo velar pelos irmãos mais novos, na presença destes; ao se sentir, porém, senhor da situação, desamparou os manos e expulsou-os do lar, valendo-se de rábulas[27] bem remunerados, desses que, sem escrúpulo, vivem de inquinar os textos legais. Por mais enérgicas e convincentes as reclamações arrazoadas, por mais comovedores os apelos à amizade fraterna, manteve-se ele em clamorosa surdez, arrojando os irmãos à penúria e a dificuldades de toda a sorte. Dois deles morreram num sanatório em catres da indigência, minados pela tuberculose que os surpreendeu em excessivas tarefas noturnas; e o outro desencarnou em míseras condições de infortúnio, relegado ao abandono, antes

---

[27] N.E.: Advogado que se utiliza de astúcia e má-fé para enredar as questões; pessoa que advoga sem ser formada em Direito.

dos 30 anos, presa de profunda avitaminose, consequente da subalimentação a que fora compelido. Tudo isto nosso desditoso amigo conseguiu fazer, escapando à justiça terrena; entretanto, não pôde eliminar dos escaninhos da consciência os resquícios do mal praticado; os remanescentes do crime são guardados em sua organização mental como carvões em paisagem denegrida após incêndio devorador; e esses carvões convertem-se em brasas vivas, sempre que excitados pelo sopro das recordações. O mau filho e perverso irmão, enquanto senhor dos patrimônios de resistência que a virilidade do corpo lhe permitia, lograva fugir de si mesmo, sem grandes dificuldades. O dinheiro fácil, a saúde sólida, os divertimentos e prazeres desempenhavam para ele a função de pesadas cortinas entre o personalismo arrogante e a realidade viva. Todavia, o tempo cansou-lhe o aparelho fisiológico e consumiu-lhe a maioria das ilusões; pouco a pouco, encontrou-se a si mesmo; na *viagem de volta ao próprio eu*, viu-se, porém, a sós com as lembranças de que não conseguira escoimar-se. Debalde intentou descobrir o bom ânimo e o bem-estar: estes se lhe ocultavam. Impossível era concentrar-se no próprio ser sem ouvir o pai e os irmãos acusando-o, exprobrando-lhe a vileza... A mente atormentada não achava refúgio consolador. Se rememorava o pretérito, este lhe exigia reparação; se buscava o presente, não obtinha tranquilidade para se manter no trabalho sadio; e, quando tentava erguer-se a plano superior, desejoso de orar ao Altíssimo, era surpreendido, ainda aí, por dolorosas advertências, no sentido de inadiável correção da falta cometida. Nesse estado espiritual, interessou-se tardiamente pelo destino dos irmãos. As informações colhidas não lhe deixavam margem ao pagamento imediato; haviam todos partido, precedendo-o na grande jornada do túmulo. Desde então, verificando a impraticabilidade de rápida retificação do tortuoso destino, o infeliz fixou-se nas zonas mais baixas do ser. Perdeu as ambições nobres e os ideais sadios, passou a ignorar os recursos da esperança. As vantagens materiais, em vez de confortá-lo, infundiam-lhe, agora, pavoroso tédio e indizível desgosto. Engrazado à máquina das responsabilidades financeiras, criadas por ele mesmo sem o espírito de possuir para dar em nome do Bem universal, não lhe foi possível esquivar-se às imposições da vida social, na qualidade de homem de alto comércio, até que baqueou, em supremo torpor. Sentindo-se incriminado no tribunal da própria consciência, começou a ver perseguidores em toda parte. Adquiriu, assim, fobias lamentáveis. Para ele, todos os pratos estão envenenados. Desconfia de quase todos os familiares e não tolera as antigas relações. O excesso de recursos materiais fê-lo descrente da amizade sincera, conferiu-lhe noções de privilégio que nunca mereceu, acentuou-lhe a independência destrutiva, extinguiu-lhe no coração a bendita luz do verbo "servir". Como vemos, sua situação é absolutamente desfavorável ao necessário reerguimento. A condição, a que se impôs pelos desejos menos nobres que sempre nutriu, é de apatia e de esterilidade...

    A essa altura da narrativa, Calderaro apontou em particular o cérebro doente e explicou: **12.**

    — O sistema nervoso, que se liga à câmara encefálica através de processos indescritíveis na técnica da ciência humana, mais não é do que a representação de importante setor do organismo perispirítico, segundo acabamos de estudar. A mente falida de Fabrício, experimentando insistentes remorsos e aflitivas preocupações, intoxicou esses centros vitais com a incessante emissão de energias corruptoras. Consequentemente, verificou-se o que em boa psiquiatria poderíamos designar por "lesão generalizada do sistema nervoso". Tal desastre atingiu, em primeiro lugar, as sedes das conquistas mais recentes da personalidade, isto é, as células e os estímulos mais jovens, que se localizam nos lobos frontais e no córtex motor, inutilizando temporariamente o nosso amigo para a meditação elevada e para o trabalho sadio e obrigando-o a regredir, no terreno espiritual, para dentro de si mesmo. De mente estacionária agora, em plena região instintiva da individualidade, nosso enfermo ainda não se acha positivamente desequilibrado, graças à contínua assistência de nosso plano.

12.7   Calando-se o assistente, ousei interrogar:

— Mas há esperança de reequilíbrio para breve?

— Absolutamente não — respondeu o interpelado, de maneira significativa —; no caso dele, funcionariam em vão as terapêuticas em uso. O espírito delinquente pode receber os mais variados gêneros de colaboração, mas será imperiosamente o médico de si mesmo. A Justiça divina exerce invariável ação, embora os homens não a identifiquem no mecanismo de suas relações ordinárias. Os criminosos podem, por muito tempo, escapar ao corretivo da organização judiciária do mundo; no entanto, mais cedo ou mais tarde, vaguearão, perante os seus irmãos em humanidade, em baixo terreno espiritual, representado no quadro de aflições punitivas. Para os familiares e amigos, Fabrício é um esquizofrênico, incapaz de resistir às aplicações do choque insulínico em virtude do coração frágil e cansado; todavia, para nós, é um companheiro acidentado na ambição inferior, curtindo amargos resultados de seus propósitos de dominar egoisticamente na vida.

Interrompendo-se o orientador, dei guarida a interrogações naturais no campo íntimo.

Se o doente não oferecia perspectivas de melhoras substanciais, qual o objetivo de nossa assistência? Por que nos demorarmos à frente de um caso insolvível, qual aquele, pela impossibilidade de próximo reencontro entre o criminoso e suas vítimas?

Calderaro não me deixou sem resposta.

— Estamos aqui — elucidou atencioso — a fim de proporcionar-lhe morte digna. Não chegará a enlouquecer em definitivo. Com o nosso concurso fraterno, desencarnará antes do eclipse total da razão.

E porque me mostrasse espantado, o prestimoso amigo acrescentou:

— Fabrício desposou uma criatura, por todos os títulos credora do amparo celestial, e essa mulher quase sublime deu-lhe três filhos, aos quais ele se consagrou nobremente, preparando-os para elevado ministério social. São eles, presentemente, dois professores e um médico, dedicados ao ideal superior de servir ao bem coletivo. Fabrício não tem o direito de perturbar a família organizada à sombra de seu amparo material, mas educada sem o seu personalismo despótico. Pelo serviço que prestou à esposa e aos filhos, recebe do Alto o socorro de agora, de maneira a transferir residência, por imposição da morte, preparado para o futuro de reajustamento. As preces da companheira e dos filhos garantem-lhe uma "boa morte" próxima, para a qual vamos organizando as suas energias e habituando *pari passu* a família a permanecer em missão ativa no bem sem a presença material dele.

Silenciou o assistente, dispondo-se a fazer-lhe aplicações magnéticas no aparelho circulatório.

Demorou-se minutos longos administrando-lhe forças ao redor dos vasos mais importantes e, em seguida, desenvolveu passes longitudinais, destinados à quietação dos nervos.

Ante minha admiração natural, Calderaro explicou-se:

— Preparamos acesso à trombose pela calcificação de certas veias. A desencarnação chegará suavemente, dentro de alguns dias, como providência compassiva, indispensável à felicidade do enfermo e de quantos lhe seguem de perto o martírio.

O doente, mais calmo, parecia haver sorvido milagroso analgésico. Aquietou-se, descansando a cabeça nos travesseiros alvos.

Dentro do silêncio que se fizera entre nós, indaguei curioso:

12.9 — Considerando, no entanto, o decesso, em breves dias, como prosseguirá o processo de resgate do nosso amigo?

— A liquidação já começou — redarguiu o instrutor, sereno.

— Como?

Calderaro fez expressivo gesto e recomendou:

— Espera.

Nesse mesmo instante, o enfermo acionou a campainha à cabeceira. A esposa atendeu à pressa. Encontrou-o melhor e sorriu feliz.

O velho, mais tranquilo, rogou:

— Inês, posso ver o Fabricinho?

— Como não? — respondeu a companheira delicadamente. — Vou buscá-lo.

Em poucos minutos, regressava trazendo um menino de seus 8 anos. O pequeno atirou-se-lhe aos braços esqueléticos, com extremado carinho, e perguntou:

— Está melhor, vovô?

O doente contemplou-o enternecido, informando:

— Estou melhor, meu filhinho... Por que não veio de manhã?

— Vovó não deixou.

— Sim, é verdade; eu não me achava bem...

A senhora retirou-se, para acompanhar a cena do outro lado da cortina.

Avô e neto sentiram-se mais à vontade.

Totalmente transfigurado com a presença do menino, nosso quase demente amigo suplicou:

— Fabricinho, eu desejo que você reze por mim...

O petiz não se fez rogado.

Ajoelhou-se ali mesmo e disse, respeitosamente, a oração dominical.

Terminada a prece, o doente pediu, de olhos úmidos:

— Não se esqueça, meu filho, de orar por mim quando eu morrer.

O menino, agora de pé, enlaçou-lhe o busto e exclamou, **12.** chorando discretamente:

— O senhor não morrerá!...

Mostrando-se aliviado, o velhinho correspondeu ao gesto afetivo, fitou o neto e inquiriu, com estranho fulgor no olhar:

— Fabricinho, você acredita que Deus perdoa aos pecadores como eu?

O pequeno respondeu lacrimoso e confundido:

— Eu acho, vovô, que Deus perdoa a todos nós.

Revelando as ansiedades que lhe povoavam a alma, voltou à indagação:

— Mesmo a um homem que trai a confiança paterna e rouba aos irmãos?

O netinho hesitou, incapaz de apreender toda a extensão daquela pergunta intencional; entretanto, no desejo de agradar ao doente, de qualquer modo, balbuciou com toda a simplicidade infantil:

— Eu penso que Deus perdoa sempre...

— É o que eu pretendia saber — acentuou o velhinho, mais confortado.

A conversação entre ambos prosseguiu afetuosa e amena.

Após detido exame, Calderaro apontou para a criança e esclareceu:

— Este menino é o ex-pai de Fabrício, que volta ao convívio do filho delinquente pelas portas benditas da reencarnação. É o único neto do enfermo e, mais tarde, assumirá a direção dos patrimônios materiais da família, bens que inicialmente lhe pertenciam. A Lei jamais dorme.

Assombrado com a informação, remoí as perguntas que me afloravam espontâneas.

Como se redimiria, por sua vez, o velho Fabrício? Regressaria também, em dias futuros, àquele mesmo lar? Sofreria o desequilíbrio completo, depois da morte do corpo denso? Demorar-se-ia em perturbação?

12.11 Calderaro, dando por findos nossos trabalhos de assistência na casa, sorriu para mim, preparou-se para a retirada e obtemperou:

— Nosso amigo enfermo, guardando na mente os resíduos da ação criminosa, logo após o abandono do domicílio fisiológico experimentará, por muito tempo, os resultados de sua queda, até que o sofrimento alije os elementos malignos que lhe intoxicam a alma. Quando esse serviço purgatorial estiver completo, então...

— Regressará aos seus familiares? — inquiri, ansioso, ante a frase suspensa.

— Se o grupo consanguíneo atual houver elevado o padrão espiritual a luminosas culminâncias, será compelido a esforçar-se intensivamente pelo alcançar. Entretanto, jamais estará desamparado. Todos temos a imensa família, dentro da qual nos integramos desde a origem — a Humanidade.

Nesse instante, abandonávamos o aposento suntuoso.

Em breves segundos, tornávamos à Natureza, gozando a bênção do céu muito límpido. E enquanto o meu instrutor se refugiou em si mesmo, atento às responsabilidades do serviço, dei expansão a novos pensamentos, relativos à amplitude e à grandeza do império da justiça.

13
Psicose afetiva

13.1 Seguindo Calderaro, fomos, em plena noite, atender infortunada irmã quase suicida.

Penetramos a residência confortável, conquanto modesta, percebendo a presença de várias entidades infelizes.

O assistente pareceu-me apressado. Não se deteve em nenhuma apreciação.

Acompanhei-o, por minha vez, até humilde aposento, onde fomos encontrar jovem mulher em convulsivo pranto, dominada por desespero incoercível. A mente acusava extremo desequilíbrio, que se estendia a todos os centros vitais do campo fisiológico.

— Pobrezinha — disse o orientador, comovidamente —, não lhe faltará a divina Bondade! Tudo preparou de modo a fugir pelo suicídio, esta noite; entretanto, as forças divinas nos auxiliarão a intervir...

Colocou a destra sobre a fronte da irmã em lágrimas e esclareceu:

— É Antonina, abnegada companheira de luta. Órfã de pai, desde muito cedo, iniciou-se no trabalho remunerado aos 8 anos, para sustentar a genitora e a irmãzinha. Passou a infância e a primeira juventude em sacrifícios enormes, ignorando as alegrias da fase risonha de menina e moça. Aos 20 anos perdeu a mãezinha, então arrebatada pela morte, e, não obstante seus formosos ideais femininos, foi obrigada a sacrificar-se pela irmã em vésperas de casamento. Realizado este, Antonina procurou afastar-se, para tratar da própria vida; muito cedo, verificou, porém, que o esposo da irmãzinha se caracterizava por nefanda viciosidade. Perdido nos prazeres inferiores, entregava-se ao hábito da embriaguez, diariamente, retornando ao lar, em hora tardia, a distribuir pancadas, a vomitar insultos. Sensibilizada ante o destino da companheira, nossa dedicada amiga permaneceu em casa, a serviço da renúncia silenciosa, aliviando-lhe os pesares e auxiliando-a a criar os sobrinhos e a assisti-los. Corriam os anos, tristes e vagarosos, quando Antonina conheceu certo rapaz necessitado de arrimo, a sustentar pesado esforço por manter-se nos estudos. Identificavam-se pela idade e pela comunhão de ideias e de sentimentos. Devotada e nobre, correspondeu-lhe à simpatia, convertendo-se em abnegada irmã do jovem. A companhia dele, de algum modo, projetava abençoada luz em sua noite de solidão e sacrifício ininterruptos. Repartindo o tempo e as possibilidades entre a irmã, quatro pequenos sobrinhos e o copartícipe de sonhos fulgurantes, consagrava-se ao trabalho redentor de cada dia, animada e feliz, aguardando o futuro. Idealizava também obter, um dia, a coroa da maternidade, num lar singelo e pobre, mas suficiente para caber a felicidade de dois corações para sempre unidos diante de Deus. Todavia, Gustavo, o rapaz que se valeu de sua amorosa colaboração durante sete anos consecutivos, após a jornada universitária sentiu-se demasiado importante para ligar seu destino ao da modesta moça. Independente e titulado, agora, passou a notar que Antonina não era, fisicamente, a companheira que seus propósitos reclamavam. Exibindo um diploma de médico e sentindo urgente necessidade de constituir um lar, com grandioso programa na vida social, desposou jovem possuidora de vultosa fortuna, menosprezando o coração leal que o ajudara nos instantes incertos. Fundamente humilhada, nossa desditosa irmã procurou-o, mas foi recebida com escarnecedora frieza. Gustavo, com presunção repulsiva, transmitiu-lhe a novidade asperamente: necessitava pôr em ordem os negócios materiais que lhe diziam respeito, e, por isso, escolhera melhor partido. Além disso, declarou, sua posição requeria uma esposa que não procedesse de um meio de atividades humilhantes; pretendia alguém que não fosse operária de laboratório, que não tivesse mãos calejadas, nem fios prateados na cabeça. A moça tudo ouviu debulhada em lágrimas, sem reação, e tornou à residência, ontem, minada pelo anseio de morrer, fosse como fosse. Sente que as esperanças se lhe esvaneceram, esfaceladas pelo golpe inopinado, que a existência se reduz em cinza e poeira, que a renúncia abre as portas da ruína e da morte. Conseguiu certa dose de substância mortífera, que pretende ingerir ainda hoje.

13.3 Dando pequeno intervalo às elucidações, recomendou-me:

— Examina-a, enquanto administro os socorros iniciais.

Detive-me em perquirição minuciosa, por longos minutos.

Dos olhos de Antonina caíam pesadas lágrimas; no entanto, da câmara cerebral partiam raios purpúreos, que invadiam o tórax e envolviam particularmente o coração. Torturantes pensamentos baralhavam-lhe a mente. Registrando-lhe os secretos apelos, compungia ouvir-lhe os gritos de desespero e as súplicas ardentes.

Seria crime — pensava — amar alguém com tal excesso de ternura? Onde jazia a Justiça do Céu, que lhe não premiava os sacrifícios de mulher dedicada à paz doméstica? Aspirava a ser alegre e feliz, como as venturosas companheiras de sua meninice; anelava a tranquilidade do matrimônio digno, com a expectativa de receber alguns filhinhos, concedidos pela bondade infinita de Deus! Seria aspiração condenável sonhar com a edificação de modesto lar, com a proteção de um companheiro simples e bondoso, quando as próprias aves possuíam seus ninhos? Não trabalhara sempre pela felicidade dos outros? Por que desconhecidas razões a relegara Gustavo ao abandono? Os calos das mãos e os sinais do rosto não lhe roboravam a dedicação ao serviço honesto? Teria valido a pena sofrer tantos anos, perseguindo uma realização que se lhe afigurava, agora, impossível? Não! não pretendia demorar-se num mundo onde o vício triunfava tão facilmente, espezinhando a virtude! Não obstante a fé que lhe alentava o coração, preferia morrer, enfrentar o desconhecido... Sentia-se desajustada, sem rumo, quase louca. Não seria mais razoável — inquiria a si própria — buscar as trevas do sepulcro que apodrecer num catre de hospício?

  Estirada no leito, a infeliz mergulhava o rosto nas mãos, soluçando sozinha, inspirando-nos piedade.

  Calderaro interrompeu o serviço de assistência, fitou-me com significativa expressão e comunicou:

— Tenho instruções para impor-lhe o sono mais profundo, logo depois da meia-noite.

E, verificando que o relógio informava não estar distante o momento prefinido, o assistente começou a ministrar-lhe aplicações fluídicas ao longo do sistema nervoso simpático.

A vasta rede de neurônios experimentou a influência anestesiante. Antonina tentou levantar-se, gritar, mas não conseguiu. A intervenção era demasiado vigorosa para que a enferma pudesse reagir.

O orientador prosseguiu atento, envolvendo-a, mansamente, em fluidos calmantes. Dentro em pouco, cedendo à irresistível dominação, a moça recostou-se vencida nos travesseiros, no estado a que o magnetizador comum chamaria "hipnose profunda".

13.5   Manteve-a Calderaro em completo repouso por mais de meia hora. Decorrido esse tempo, duas entidades, aureoladas de intensa luz, deram entrada no recinto. Abraçaram meu instrutor, que me apresentou cordialmente.

Estavam, agora, junto de nós, Mariana, que fora dedicada genitora de Antonina, e Márcio, iluminado espírito ligado a ela, desde séculos remotos.

Agradeceram, sensibilizados, a atuação de meu orientador, que passou a doente à direção materna.

A simpática senhora desencarnada inclinou-se sobre a filha e chamou-a docemente, como o fazia na Terra. Parcialmente desligada do envoltório grosseiro, Antonina ergueu-se, em seu organismo perispirítico, encantada, feliz...

— Mamãe! Mamãe! — gritou, desabafando-se, a refugiar-se entre os braços maternais.

Mariana recolheu-a carinhosa, estringiu-a de encontro ao peito, pronunciando palavras enternecedoras.

— Mãezinha, ajude-me! Não quero mais viver na Terra! Não me deixe voltar ao corpo pesado... O destino escorraça-me. Sou infeliz! Tudo me é adverso... Arrebate-me daqui... para sempre!

A nobre matrona contemplava-a, triste, quando Márcio se aproximou, fazendo-se visto pela estimada enferma.

A moça abriu desmesuradamente os olhos e ajoelhou-se instintivamente, amparada pela mãe. Parecia esforçar-se por trazer à lembrança alguém que ficara em pretérito longínquo... Observava-se-lhe a extrema dificuldade para recordar com precisão. Contemplava o emissário, banhada em pranto diferente: não vertia as lágrimas lutuosas de momentos antes; tocava-se, agora, de sublime conforto, de júbilo místico, que lhe nascia, inexplicavelmente, das profundezas do coração.

Acercou-se Márcio mais intimamente, pousou-lhe a luminosa destra sobre a fronte e falou com ternura:

— Antonina, por que esse desânimo, quando a luta redentora apenas começa? Olvidaste, acaso, que não somos órfãos? Acima de todos os obstáculos paira a infinita Bondade. Recusas a "porta estreita" que nos proporcionará o venturoso acesso ao reencontro?

Talvez porque a interlocutora estivesse de si mesma postulando excessivo trabalho para reavivar paisagens perdidas no tempo, o mensageiro advertiu, fraternal:

— Não forces a situação! Acalma-te! Não nos bastará o presente, cheio de abençoado serviço e renovadora luz? Um dia, reconquistarás o patrimônio da memória total; por ora, contenta-te com as dádivas limitadas. Aproveita os minutos na recomposição do destino, vale-te das horas para reconduzir tuas aspirações a esferas superiores. Que motivos te sugerem esse crime, que é o provocar a morte? Que razões te conduzem os passos na direção do precipício tenebroso? Tua mãe e eu sentimos, de longe, o perigo, e aqui estamos para ajudar-te...

Fez longa pausa, fixando-a amorosamente, e continuou:

— Ó minha abençoada amiga, como abriste assim o coração aos monstros do desespero? Dize-me! Não te mantenhas silenciosa... Não sou teu juiz, sou teu amigo da eternidade. Não terei o consolo de ouvir-te?

A enferma desejava falar; entretanto, os suaves raios de luz, emitidos por Márcio, cercavam-na toda, sufocando-lhe a garganta, no êxtase daqueles instantes inesquecíveis.

Ele, porém, desejando evidentemente proporcionar-lhe oportunidade a mais amplo desabafo, levantou-a, cuidadoso, e insistiu:

— Fala!...

Animada, Antonina balbuciou, tímida:

— Estou exausta...

13.7 — Contudo, jamais foste esquecida. Recebeste mil recursos diversos da Providência, indispensáveis ao valioso serviço de redenção. O corpo terreno, as bênçãos do Sol, as oportunidades de trabalho, as maravilhas da Natureza, os laços afetivos e as próprias dores da experiência humana não serão inestimáveis dons do divino Suprimento? Ignoras, querida, a felicidade do sacrifício, renegas a possibilidade de amar?

Foi então que vi a jovem mulher contemplá-lo mais confiadamente. Sentindo-se forte ante a insofismável demonstração de carinho, abriu-se com franqueza fraternal:

— Tenho sonhado com a posse de um lar... desejo viver para um homem que, a seu turno, me auxilie a levar a existência... idealizo receber de Deus alguns filhinhos que eu possa acariciar! Será pecado, celeste mensageiro, anelar tais coisas? Será delinquente a mulher que busca santificar os princípios naturais da vida? Depois de mourejar anos a fio pela felicidade dos que me são caros, noto que o destino escarnece de minhas esperanças. Será virtude viver entre pessoas alegres e felizes, quando nosso coração queda morto?

Márcio ouviu-a fraternalmente, afagando-lhe as mãos, e, evidenciando suas altas aquisições de verdadeiro amor, acrescentou, mais compreensivo e mais terno:

— Abnegada amiga, não permitas que a sombra de algumas horas te empane a luz dos séculos porvindouros. É possível, Antonina, que te sintas tão lamentavelmente só, quando o supremo Senhor te concedeu o sublime lar do mundo inteiro? A Humanidade é nossa família, os filhinhos da dor nos pertencem. Reconheço que transitórias humilhações do sentimento te laceram a alma, que desejarias arrimar-te ao carinhoso braço de um companheiro digno e fiel. No entanto, querida, é da Vontade superior que recebas, por enquanto, as vantagens que podem ser encontradas na solidão. Se há períodos de florescimento nos vales humanos, dentro dos quais nos inebriamos em plena primavera da Natureza, existências se verificam, aparentemente isoladas e desditosas, nas culminâncias da meditação e da renúncia, a cuja luz nos preparamos para novas jornadas santificadoras.

"Não suponhas que a fatal passagem do sepulcro nos abra 13. portas à liberdade: segue-nos a Lei, a toda parte, e o supremo Senhor, se exerce a infinita compaixão, não despreza a justiça inquebrantável. Dá-nos, invariavelmente, a eterna Sabedoria o lugar onde possamos ser mais úteis e mais felizes.

"Declaras-te deserdada e infeliz, e, no entanto, ainda não recenseaste as possibilidades sublimes que te rodeiam. Dizes-te incapacitada de abraçar os pequeninos de Deus, mas por que tamanho exclusivismo para os rebentos consanguíneos? Não enxergaste, até hoje, as crianças abandonadas, nunca viste os filhinhos da miséria e da privação? Se não podes ser mãe de flores da própria carne, por que motivo não te fazes tutora espiritual dos pequenos necessitados e sofredores? Acreditas, Antonina, que possamos ser absolutamente felizes, escutando gemidos à nossa porta? Haverá perfeita alegria num coração que pulsa ao lado de um coro de lágrimas? O mundo não é propriedade nossa. Nós, os filhos do Altíssimo, é que fomos trazidos a cooperar nas obras que nos cercam. É verdadeira infelicidade acreditar-se alguém favorito dos céus, como se o Pai compassivo e sábio não passasse de frágil e parcial ditador! Sacode a consciência adormecida... Lembra-te de que o Todo-Poderoso não se adstringe ao nosso particularismo de criaturas falíveis, e não te esqueças de que nos pesam, perante a universalidade dele, inalienáveis deveres de trabalho, exercitando os preciosos recursos que nos concedeu, a fim de alcançarmos, um dia, a perfeição da sabedoria e do amor.

"Sofres em tua organização, que orientaste para o personalismo, porque um homem, cujo padrão psíquico se harmonizou com o teu em muitos aspectos, modificando depois seu rumo de vida, te relegou ao esquecimento. Choras, porquanto esperavas encontrar em sua companhia algo da divina presença, que traria serenidade às tuas angustiosas esperanças de mulher delicada e sensível... As inquietações do sexo tomaram vulto na intimidade do teu santuário, e padeces longo assédio de tribulações. Mas... dar-se-á que presumas no sexo a fonte exclusiva do amor? Serás também vítima desse fatal engano? O amor é sol divino a irradiar-se por todas as magnificências da alma.

13.9 "Por vezes, somos privados de sensações que ansiáramos, inibidos de usar as energias criadoras das formas físicas, a fim de buscarmos patrimônios mais altos do ser; nem por isso, contudo, tais percalços nos impedem a exteriorização do sublime sentimento; represar-lhe o curso redundaria em extinguir o Universo. O que tortura a mente humana em tais ocasiões é o clima do cárcere organizado por nós mesmos; amurados no egoísmo feroz, não sabemos perder por alguns dias, para ganhar na eternidade, nem ceder valores transitórios, para conquistar os dons definitivos da vida."

Ante a moça que o contemplava embevecida, através de espesso véu de lágrimas, o mensageiro prosseguiu:

— Efetivamente, se não podes partilhar a experiência do homem escolhido, em face das circunstâncias que te compelem à renúncia, por que não lhe consagrar o puro amor fraternal, que eleva sempre? Estaríamos, acaso, impedidos de transformar em irmãos os seres que admiramos? Não deves outrossim esquecer que o noivo perjuro, atualmente belo na figura fisiológica, vestirá também, mais tarde, o puído traje do cansaço e da velhice, se em breve não afivelar ao rosto a máscara da enfermidade e da morte. Conhecerá o desencanto da carne e estimará no silêncio a procura do espírito. Se o amas, em verdade, por que torturá-lo com o sarcasmo do suicídio, em vez de cobrar forças para esperá-lo, ao fim do dia da existência mortal? Se não podes ser o cântaro de água pura para o viajor querido, por que não ser o oásis que o aguardará no deserto das desilusões inevitáveis? Além disto, como chegaste a sentir tão clamoroso desamparo, se também te aguardamos, ávidos aqui de tua afeição e de teu carinho?

Antonina sorriu, em êxtase, a despeito do pranto que lhe rolava a flux.

Observando o salutar efeito de suas palavras animadoras, Márcio acariciou-lhe os cabelos, murmurando:

— Por que razão esperar os rebentos da carne para exemplificar o verdadeiro amor? Jesus não os teve, e, no entanto, todos nos sentimos tutelados de sua infinita abnegação. Prometes, Antonina, modificar as disposições mentais doravante? A mulher digna e generosa, excelsa e cristã, olvida o mal e ama sempre...

Comovidos, vimos a interlocutora ajoelhar-se de novo e exclamar solenemente:

— Comprometo-me a modificar minha atitude, em nome de Deus.

Nesse instante, o emissário espalmou as mãos sobre a fronte da enferma, envolvendo-a em jatos de luz que não tocaram tão somente a matéria perispirítica, mas se estenderam além, até no corpo denso, fixando-se particularmente nas zonas do encéfalo, do tórax e dos órgãos femininos. Logo após, Antonina, empolgada pela mãezinha e pelo companheiro da Espiritualidade superior, afastou-se para agradável e repousante excursão. Incumbiu-se Calderaro de auxiliá--la a retomar o veículo pesado nas primeiras horas da manhã clara.

Edificado com as observações da noite, regressei, em companhia dele, ao quarto da senhorita quase suicida.

Entre as seis e sete horas, a genitora desencarnada trouxe a filha, em cuja fisionomia fulgurava ignota e incompreensível felicidade.

O instrutor ajudou-a a reapossar-se do envoltório fisiológico, cercando-lhe o cérebro de emanações fluídicas anestesiantes, para que lhe não fosse permitido o júbilo de recordar, em todas as suas particularidades, a experiência da noite; se guardasse a lembrança integral, disse Calderaro, provavelmente enlouqueceria de ventura. Destarte, as alegrias por ela intensamente vividas seriam arquivadas em seu organismo sob forma de forças novas, estímulos desconhecidos, coragem e satisfação de procedência ignorada.

11. Com efeito, daí a minutos Antonina despertou como que outra criatura; sentia-se inexplicavelmente reanimada, quase feliz.

Um dos pequenos sobrinhos penetrou o aposento, chamando-a. A generosa tia contemplou-o, enlevada.

Alguma energia prodigiosa, que lhe não era dado conhecer, religara-a ao interesse pela vida. Achou indizível contentamento no sol que atravessava a vidraça, bendizia o quarto humilde onde lutava por atender aos desígnios de Deus e sorria-se de haver, na véspera, pensado em fugir, sem razão, ao aprendizado do mundo. Não fora aquinhoada pela Providência com maravilhoso número de bênçãos? Contemplou a encantadora criança pobremente vestida, a solicitar-lhe a companhia para descerem ao pequeno jardim, onde flores novas desabrochavam. Que importa insignificante malogro do coração diante dos trabalhos sublimes que poderia executar, na sua posição de mulher sadia e jovem? Os filhinhos da irmã não lhe pertenciam igualmente? Não seria mais nobre viver para ser útil, esperando sempre da inesgotável Misericórdia?

— Titia Antonina! Titia Antonina, vamos! Vamos ver a roseira nova! — gritava o trêfego menino de 5 anos, em alegre invite à vida.

Observando-lhe a restauração das forças, vimo-la, sinceramente rejubilados, levantar-se a responder, sorrindo:

— Espera! Já vou, meu filho!

14
Medida salvadora

4.1   Havíamos terminado ativa colaboração, num elevado ambiente consagrado à prece, quando certo companheiro se abeirou de nós, reclamando o concurso do assistente num caso particular.

Calderaro decerto conheceria os pormenores da situação, porque entre ambos logo se estabeleceu curioso diálogo.

— Infelizmente — dizia o informante —, nosso Antídio não sobreleva a situação; permanece em derrocada quase total. Vinculou-se de novo a perigosos elementos da sombra e voltou aos desacertos noturnos, com grave prejuízo para o nosso trabalho socorrista.

— Não lhe valeram as melhoras da quinzena passada? — indagou fraternalmente o orientador.

— Aproveitou-as para mais presto voltar à irreflexão — esclareceu o interlocutor com inflexão magoada.

— É de notar, porém, que se achava quase de todo louco.

— Sim, mas conseguiu fruir, outra vez, estado orgânico invejável, mercê de sua intervenção última; logo, porém, que se viu fortalecido, tornou desbragadamente aos alcoólicos. A sede escaldante, provocada pela própria displicência e pela instigação dos vampiros que, vorazes, se lhe enxameiam à roda, everteu-lhe o sistema nervoso. A organização perispirítica, semiliberta do corpo denso pelos perniciosos processos da embriaguez, povoa-lhe a mente de atrozes pesadelos, agravados pela atuação das entidades perversas que o seguem passo a passo.

— Estará em casa a esta hora? — inquiriu Calderaro com interesse.

— Não — disse o outro, abatido —, deixei-o, ainda agora, num centro menos digno, onde a situação do nosso doente tornou a características lamentáveis.

O instrutor estudou o caso em silêncio, durante alguns instantes, e considerou:

— Poderemos providenciar; contudo, se da outra vez consistiu o socorro em restituí-lo ao equilíbrio orgânico possível, no momento há que agir em contrário. Convém ministrar-lhe provisória e mais acentuada desarmonia ao corpo. Neste, como em outros processos difíceis, a enfermidade retifica sempre.

E, contemplando o benfeitor do necessitado distante, interrogou:

— De acordo?

— Perfeitamente — redarguiu ele, sem hesitação —; o meu amigo é especialista em assistência, e eu lhe acato as determinações. O que nos interessa é a saúde efetiva do infeliz irmão, que se entregou sem defesa aos reclamos do vício.

Rumamos para o local em que deveríamos acudir o amigo extraviado.

Penetramos o recinto, servido de amplas janelas e abundantemente iluminado.

O ambiente sufocava. Desagradáveis emanações se faziam cada vez mais espessas à maneira que avançávamos.

4.3 No salão principal do edifício, onde abundavam extravagantes adornos, algumas dezenas de pares dançavam, tendo as mentes absorvidas nas baixas vibrações que a atmosfera vigorosamente insuflava.

Indefinível e dilacerante impressão dominou-me o ser. Não provinha da estranheza que a indiferença dos cavalheiros e a leviandade das mulheres me provocavam; o que me enchia de assombro era o quadro que eles não viam. A multidão de entidades conturbadas e viciosas que aí se movia era enorme. Os dançarinos não bailavam sós, mas, inconscientemente, correspondiam, no ritmo açodado da música inferior, a ridículos gestos dos companheiros irresponsáveis que lhes eram invisíveis. Atitudes simiescas surdiam aqui e ali, e, de quando em quando, gritos histéricos feriam o ar.

Calderaro não se deteve. Mostrava-se habituado à cena; mas, não conseguindo sofrear a estupefação que se assenhoreara de mim, solicitei-lhe uma intermitência, perguntando:

— Meu amigo, que vemos? Criaturas alegres cercadas de seres tão inconscientes e perversos? Pois será crime dançar? Buscar alegria constituirá falta grave?

O orientador escutou pacientemente as indagações ingênuas que me escapavam dos lábios, ditadas pelo espanto que me assomara repentinamente, e esclareceu:

— Que perguntas, André! O ato de dançar pode ser tão santificado como o ato de orar, pois a alegria legítima é sublime herança de Deus. Aqui, porém, o quadro é diverso. O bailado e o prazer nesta casa significam declarado retorno aos estados primitivos do ser, com iniludíveis agravantes de viciação dos sentidos. Observamos, neste recinto, homens e mulheres dotados de alto raciocínio, mas assumindo atitudes de que muitos símios talvez se pejassem. Todavia, esteja longe de nós qualquer recriminação: lastimemo-los simplesmente. São trânsfugas sociais, e, na maioria, rebeldes à disciplina instituída pelos desígnios superiores para os seus trilhos terrestres. Muitos deles são profundamente infelizes, precisando de nossa ajuda e compaixão. Procuram afogar no vinho ou nos prazeres certas noções de responsabilidade que não logram esquecer. Fracos perante a luta, mas dignos de piedade pelos remorsos e atribulações que os devoram, merecem amparados fraternalmente.

E, passando os olhos de relance pela multidão de Espíritos perturbadores que ali se davam ao vampirismo e ao sarcasmo, obtemperou:

— Quanto a estes infortunados, que fazer senão recomendá-los ao divino Poder? Tentam igualmente a fuga impossível de si mesmos. Alucinados, apenas adiam o terrível minuto de autorreconhecimento, que chega sempre, quando menos esperam, por mil processos da dor, esgotados os recursos do amor divino, que o supremo Pai nos oferece a todos. A mente deles também está apegada aos instintos primitivos, e, frágeis e hesitantes, receiam a responsabilidade do trabalho da regeneração.

Vendo-me boquiaberto e faminto de novas elucidações, o assistente propôs-me:

— Vamos! Deixemo-los divertir-se. A dança, nesta casa, não lhes deixa de ser, em última análise, um benefício. Chegaram nossos amigos encarnados e desencarnados, aqui presentes, a nível tão desprezível que, sem dúvida, não fora o sapateado, estariam rodando, lá fora, em atos extremamente condenáveis, tal a predisposição em que se encontram para o crime. Que o Pai se comisere de todos nós.

Demandamos o interior, apressadamente.

Numa saleta abafada, um cavalheiro de 45 anos presumíveis jazia a tremer. Não conseguia manter-se de pé.

Calderaro examinou-o detidamente e indagou do novo amigo que nos acompanhava:

14.5

— Voltou aos alcoólicos há muitos dias?
— Precisamente, há uma semana.
— Vê-se que se esgotou rápido.

Enquanto encetava a aplicação de fluidos magnéticos, o orientador aconselhou-me a notar os característicos do quadro dantesco sob nossos olhos.

Antídio, doente e desventurado, a despeito das condições precárias, reclamava um copinho, sempre mais um copinho, que um rapaz de serviço trazia, obediente. Tremiam-lhe os membros, denunciando-lhe o abatimento. Álgido suor lhe escorria da fronte e, de vez em quando, desferia gritos de terror selvagem. Em derredor, quatro entidades embrutecidas submetiam-no aos seus desejos. Empolgavam-lhe a organização fisiológica, alternadamente, uma a uma, revezando-se para experimentar a absorção das emanações alcoólicas, no que sentiam singular prazer. Apossavam-se particularmente da "estrada gástrica", inalando a bebida a volatilizar-se da cárdia[28] ao piloro.[29]

A cena infundia angústia e assombro.

Estaríamos diante de um homem embriagado ou de uma taça viva, cujo conteúdo sorviam gênios satânicos do vício?

O infortunado Antídio trazia o estômago atestado de líquido e a cabeça turva de vapores.

Semidesligado do organismo denso pela atuação anestesiante do tóxico, passou a identificar-se mais intimamente com as entidades que o perseguiam.

Os quatro infelizes desencarnados, a seu turno, tinham a mente invadida por visões terrificantes do sepulcro que haviam atravessado como dipsomaníacos.[30] Sedentos, aflitos, traziam

---

[28] N.E.: Orifício que permite a passagem do conteúdo do esôfago para o estômago.
[29] N.E.: Pequena abertura que faz a comunicação entre o estômago e o duodeno.
[30] N.E.: Que possui desejo incontrolável de ingerir bebida alcoólica.

consigo imagens espectrais de víboras e morcegos dos lugares sombrios onde haviam estacionado.

Entrando em sintonia magnética com o psiquismo desequilibrado dos vampiros, o ébrio começou a rogar estentoreamente:

— Salve-me! Salve-me, por amor de Deus!

E, indicando as paredes próximas, bradava sob a impressão de indefinível pavor:

— Oh! os morcegos!... os morcegos! Afugentem-nos, detenham-nos!... Piedade! Quem me livrará?! Socorro! Socorro!...

Dois senhores, também obnubilados pelo vinho, aproximaram-se espantados. Um deles, porém, tranquilizou o outro, dizendo:

— Nada de mais. É o Antídio, de novo. Os acessos voltaram. Deixemo-lo em paz.

Enquanto isso, o desditoso ébrio continuava bradando:

— Ai! Ai! Uma cobra... aperta-me, sufoca-me... Que será de mim? Socorro!

As entidades perturbadoras timbravam nas atitudes sarcásticas; gargalhavam de maneira sinistra. Ouvia-as o infeliz, a lhe ecoarem no fundo do ser, e gritava, tentando investir, embora cambaleante, os algozes invisíveis:

— Quem zomba de mim? Quem?!

Cerrando os punhos, acrescentava:

— Malditos! Malditos sejam!

A cena prosseguia dolorosa, quando Calderaro se acercou de mim, esclarecendo:

— É deplorável pai de família que, incapaz de reagir contra as atrações do vício, se entregou, inerme, à influência de malfeitores desencarnados, afins com a sua posição desequilibrada. Em atenção às intercessões da esposa e de dois filhinhos amoráveis que o seguem, assistimo-lo com todos os recursos ao alcance de nossas possibilidades; entretanto, o imprevidente irmão não corresponde ao nosso esforço. Emerge de todas as tentativas, mais e mais disposto à perversão dos sentidos; busca, acima de tudo, a fuga de si mesmo; detesta a responsabilidade e não se anima a conhecer o valor do trabalho. Atenuando-lhe a ânsia irrefreável de sorver alcoólicos, esperamos se reeduque. Para isso, porém, usaremos agora recurso drástico, já que o desventurado se revela infenso a todos os nossos processos de auxílio.

4.7   Fixando em mim expressivo olhar, concluiu:

— Antídio, por algum tempo, a partir de hoje, será amparado pela enfermidade. Conhecerá a prisão no leito, durante alguns meses, a fim de que se lhe não apodreça o corpo num hospício, o que se iniciaria dentro de alguns dias, lançando nobre mulher e duas crianças em pungente incerteza do porvir.

Dito isso, Calderaro encetou complicado serviço de passes ao longo da espinha dorsal.

O enfermo aquietou-se, pouco a pouco, na velha poltrona em que se mantinha.

O assistente passou a aplicar-lhe eflúvios luminosos sobre o coração, durante vários minutos. Notei que essas emissões se concentraram gradativamente no órgão central, que em certo instante acusou parada súbita.

Antídio parecia prestes a desencarnar, quando o orientador lhe restituiu as energias, em movimentação rápida. Premido pelo fenômeno circulatório, que lhe valeu tremendo choque, o desditoso amigo pôs-se a pedir auxílio em altos brados. Havia tamanha inflexão de dor na voz lamentosa, que grande número de pessoas se aproximaram penalizadas.

Um piedoso cavalheiro tomou-lhe o pulso, verificou a desordem do coração e, presto, requisitou um carro da assistência pública. Em breves momentos Antídio era transportado em maca de hospital, para receber socorro urgente, seguido, de perto, pelo solícito benfeitor espiritual.

Retirando-se em minha companhia, Calderaro acrescentou tristonho:

— O infortunado amigo será portador de uma nevrose cardíaca por dois a três meses, aproximadamente. Debalde usará a valeriana e outras substâncias medicamentosas, em vão apelará para anestésicos e desintoxicantes. No curso de algumas semanas conhecerá intraduzível mal-estar, de modo a restabelecer a harmonia do cosmo psíquico. Experimentará indizível angústia, submeter-se-á a medicações e regimes, que lhe diminuirão a tendência de esquecer as obrigações sagradas da hora e lhe acordarão os sentimentos, devagarinho, para a nobreza do ato de viver.

Notando-me a estranheza, o assistente concluiu:

— Que fazer, meu amigo? As mesmas Forças divinas que concedem ao homem a brisa cariciosa, infligem-lhe a tempestade devastadora... Uma e outra, porém, são elementos indispensáveis à glória da vida.

15
Apelo cristão

15.1   Estavam prestes a terminar minhas possibilidades de estudo, em companhia de Calderaro, quando, na véspera da prometida visita às cavernas do sofrimento, o estimado assistente me convidou a ouvir a palavra do instrutor Eusébio que, naquela noite, se dirigiria a algumas centenas de companheiros católicos-romanos e protestantes das Igrejas reformadas, ainda em trânsito nos serviços da esfera carnal.

— São irmãos menos dogmáticos e mais liberais que, em momentos de sono, se tornam suscetíveis de nossa influência mais direta. Pelas virtudes de que são portadores, tornam-se dignos das diretrizes dos planos mais altos.

Não ocultei a estranheza que me tomara de assalto ante a informação, mas Calderaro ajuntou sem demora:

— Importa compreender que a Proteção divina desconhece privilégios. A graça celestial é como o fruto que sempre surge na fronde do esforço terrestre: onde houver colaboração digna do homem, aí se acha o amparo de Deus. Não é a confissão religiosa que nos interessa, em sentido fundamental, senão a revelação de fé viva, a atitude positiva da alma na jornada de elevação. Claro é que as escolas da crença variam, situando-se cada uma em um círculo diferente. Quanto mais rudimentar é o curso de entendimento religioso, maior é a combatividade inferior, que traça fronteiras infelizes de opinião e acirra hostilidades deploráveis, como se Deus não passasse dum ditador em dificuldades para manter-se no poder. Constituindo o Espiritismo evangélico prodigioso núcleo de compreensão sublime, é razoável seja considerado uma escola cristã mais elevada e mais rica. Possuindo tamanhas bênçãos de conhecimento e de amor, cumpre-lhe estendê-las a todos os companheiros, ainda quando esses companheiros se mostrem rebeldes e ingratos em consequência da ignorância do que ainda não conseguiram afastar-se. A compaixão de Jesus poderia ser medida pelo estado de evolução daqueles que o seguiam de perto. Diante da mente encarcerada no vaidoso intelectualismo de muitas personalidades importantes de sua época, vemo-lo inflamado de energia divina; pelo contrário, em Jerusalém, no último dia, à frente do populacho exaltado e ignorante — arraigado embora aos princípios da crença —, encontramo-lo silencioso e humilde, solicitando perdão para quantos o feriam.

Imprimindo inflexão mais carinhosa à palavra, acrescentou bondoso:

— Não nos esqueçamos que, acima de tudo, nos empenhamos numa obra educativa. Salvar alguém, ou socorrê-lo, não significa subtrair o interessado à oportunidade de luta, de alçamento ou de edificação. Constitui amparo fraternal, para que desperte e se levante, entrando na posse do equilíbrio que caracteriza aquele que o ajudou. O supremo Senhor não se compraz com o possuir filhos miseráveis e infelizes na Criação; espalha bênçãos e dons, riquezas e facilidades eternas a mancheias, esperando apenas que cada um de nós se disponha a reger com sabedoria o patrimônio próprio. Como vemos, todos os setores do serviço espiritual reclamam a divina assistência.

15.3   Antes de mais amplas elucidações referentes ao assunto, alcançamos o campo tranquilo, onde o nobre emissário se fazia ouvir.

De relance, observei que a reunião, agora, não se assinalava por grande número de colegas encarnados, que ali se contavam por poucas centenas, assistidos por quantidade considerável de cooperadores da nossa esfera de ação.

O luar balsamizava docemente o arvoredo, que se inclinava à passagem do favônio.[31]

Imponente, pela claridade sublime que lhe aureolava a figura veneranda, Eusébio, ao que me pareceu, havia iniciado a preleção desde muito. Extasiados, os ouvintes registravam-lhe o verbo tocado de luz celestial, com pasmo indisfarçável a lhes alterar as fisionomias. Confundidos e ajoelhados, em grande número, na relva fresca, sentiam-se repentinamente transportados ao paraíso...

O instrutor, envolvido em safirinos reflexos, falava com irresistível poder de atração:

— Se o patrimônio da fé religiosa representa o indiscutível fator de equilíbrio mental do mundo, que fazeis de vosso tesouro, esquecendo-lhe a utilização, numa época em que a instabilidade e a incerteza vos ameaçam todas as instituições de ordem e de trabalho, de entendimento e de construção? Não vos assombra, porventura, acordando-vos a consciência, a borrasca renovadora que refunde princípios e nações? Supondes possível uma era de paz exterior, sem a preparação interior do homem no espírito de observância e aplicação das Leis divinas? Por admitir semelhante contrassenso, a máquina, filha de vossa inteligência, vos anula as possibilidades de mais alta incursão no Reino do Espírito Eterno.

---

[31] N.E.: Vento suave.

"Ser cristão, outrora, simbolizava a escolha da experiência mais nobre, com o dever de exemplificar o padrão de conduta consagrado pelo Mestre divino. Constituía ininterrupto combate ao mal com as armas do bem, manifestação ativa do amor contra o ódio, segurança de vitória da luz contra as sombras, triunfo inconteste da paz construtiva sobre a discórdia derruidora.

"Ante o moloc[32] do Estado Romano, convertido em imperialismo e corrupção, os sectários do Evangelho não se expunham a polêmicas mordazes, não se enredavam nas teias do personalismo dissolvente, não dilapidavam possibilidades preciosas, a erigir fronteiras dogmáticas... Entreamavam-se em nome do Senhor e ofereciam a própria vida em penhor de gratidão àquele que não trepidara em seguir para a cruz, por amor a todos nós. Erguiam os seus mais sublimes santuários na comunhão com os princípios santificantes que os identificavam com o Salvador do Mundo. Sabiam perder vantagens transitórias, para conquistar os *imperecíveis tesouros celestiais*. Sacrificavam-se uns pelos outros, na viva demonstração do devotamento fraternal. Repartiam os sofrimentos e multiplicavam os júbilos entre si. Morriam em testemunhos angustiosos, para alcançar a vida eterna. Guerreavam os desequilíbrios de sua época e de seus contemporâneos, não a golpes de maldição, nem a fio de espada, mas pela prática da renunciação, submetendo-se a disciplinas cruéis e revelando, nas palavras, nos pensamentos e nos atos, a mensagem sublime do Mestre que lhes renovara os corações.

"Entretanto, herdeiros que sois daqueles heróis anônimos, que transitaram nas aflições, de espírito edificado nas promessas do Cristo, que fizestes vós da esperança transformadora, da confiança sem vacilação? Onde colocastes a fé viva que os vossos patriarcas adquiriram a preço de sangue e de lágrimas? Que é do es-

---

[32] N.E.: Moloc ou Moloch, pretensa divindade cananeia, à qual se teriam sacrificado vítimas humanas. Tipo de sacrifício humano.

pírito de fraternidade que assinalava os aprendizes da Boa-Nova? Enriquecidos pelas graças do Céu, pouco a pouco olvidastes as portas da Revelação divina em troca das comodidades humanas.

15.5 "Construístes, entre vós mesmos, barreiras dificilmente transponíveis.

"Intoxica-vos o dogmatismo, corrompe-vos a secessão. Estreitas interpretações do plano divino vos obscurecem os horizontes mentais.

"Abris hostilidade franca, em nome do Reino de Deus, que significa amor universal e união eterna.

"Conspurcais a fonte das bênçãos, amaldiçoando-vos uns aos outros, invocando, para isso, o Príncipe da Paz, que, para ajudar-nos, não hesitou ante a própria morte afrontosa.

"A que delírio chegastes, estabelecendo mútua concorrência à imaginária obtenção de privilégios divinos?

"Antigamente, os companheiros do Cristo disputavam a oportunidade de servir; no entanto, na atualidade, procurais as mínimas ocasiões de serdes servidos.

"Reverenciais no Senhor a Luz dos Séculos, e mantendes-vos nas sombras do nefando egoísmo.

"Proclamais nele a glória da paz, e incentivais a guerra fratricida, em que homens e instituições se trucidam reciprocamente.

"Recorreis ao divino Mestre, centralizando em sua infinita bondade a fonte inesgotável do amor; entretanto, cultivais a desarmonia no recôndito do ser.

"Por que estranhas convicções supondes conquistar o paraíso, à força de afirmativas labiais?

"Esquecestes que o verbo, divino em seus fundamentos, é sempre criador? Como admitir a redenção ao preço de simples palavras a que nenhum significado objetivo emprestais pelas atitudes?

"Todavia, é imperioso reconhecer o caráter sublime de vossa tarefa no mundo.

"Jesus fundou a Religião do Amor universal, que os sacerdotes políticos dividiram em várias escolas orientadas pelo sectarismo injustificável. Malgrado esse erro lastimável dos homens, a essência dos vossos princípios é aquela mesma que sustentou a coragem e a nobreza dos trabalhadores sacrificados nos primeiros dias do Cristianismo.

"Porque alguns missionários das verdades religiosas olvidassem a Paternidade divina e se permitissem desmandos da autoridade, preferindo a opressão e a tirania, não sois menos responsáveis, agora, pelos sagrados depósitos que Jesus nos confiou, destinados aos serviços de elevação humana e de santificação da Terra.

"O Evangelho, em suas bases, guarda a beleza do primeiro dia. Sofisma algum conseguiu empanar o brilho de 'amai-vos uns aos outros, como eu vos amei'...

"Perante os desafios do Céu, credes, acaso, servir a Deus encarcerando os serviços da fé nos templos suntuosos? A pompa do culto exterior só faz realçar o desatino de vossas perigosas ilusões acerca da vida espiritual.

"Infrutífera seria a divina missão do Mestre, se a Boa-Nova permanecesse circunscrita às trincheiras sectárias, onde presunçosamente vos refugiais, com o objetivo de inflamar a execranda fogueira das hostilidades simuladamente cordiais.

"Não encontrastes outra fórmula de externar a crença, além da concorrência menos digna?

"Em vão ergueis castelos de opinião para o verbalismo sem obras, porque, se a morte surpreende o materialista revel, descortinando-lhe o realismo da vida, o túmulo abre também o tribunal da reta justiça a quantos se valeram da Religião para melhor dissimular a indiferença que lhes povoa o mundo íntimo.

"Não julgueis esteja a fé consagrada ao menor esforço.

15.7 "Qual ocorre à Ciência, a Religião tem o seu trabalho específico no mundo. Força equilibrante do pensamento, seus servidores são chamados a colaborar na harmonia da mente humana.

"Na atuação da fé positiva reside a força reguladora das paixões, dos impulsos irresistíveis da animalidade de que todos emergimos, no processo evolucionário que nos preside à existência.

"Jesus, por isso, não confinou seus ensinamentos ao círculo estreito dos templos de pedra. Reverenciou, em verdade, os monumentos que recordassem os 'lugares santos da oração', consagrados às manifestações superiores do espírito; entretanto, não se cristalizou nas atitudes adorativas: viveu conquistando amigos para o Reino do Céu.

"Não impôs aos seus seguidores normas rígidas de ação: pedia-lhes amor e entendimento, fé sincera e bom ânimo para os serviços edificantes.

"Aproximando-se de Madalena, não extravaga em baldas conversações: interessa-lhe o coração no sublime apostolado renovador. Visitando Zaqueu, abençoa-lhe o esforço nobre e construtivo. Dirigindo-se à mulher samaritana, não desce às contendas inúteis: impressiona-a pelo contato de sua alma divina, fazendo-a abandonar o velho cântaro da fantasia, para que busque as fontes eternas. Convivendo com cegos e leprosos, loucos e doentes de todos os matizes, exemplificou a vida social, baseada na fraternidade mais pura e nos mais elevados estímulos à santificação. Por fim, imolado na cruz, seus dois últimos companheiros eram ladrões confessos, aos quais não hesitou dirigir a palavra fraterna, inflamada de amor.

"Como invocar-lhe o nome para justificar os desvarios da separação por motivos de fé? Como apoiar-se no Amigo de todos para deflagrar embates de opinião, acendendo fogueiras de ódio em prejuízo da solidariedade comum que Ele exemplificou até ao supremo sacrifício? Não será denegrir-lhe a memória, difundir a discórdia em seu nome?"

Notei que as palavras do orientador provocavam funda impressão. A maioria dos ouvintes chorava em comoção irrepressível, sentindo-se tocada pelo Juízo celeste.

Eusébio, que mantinha presa a atenção geral, prosseguiu impávido:

— Não se vos reclama a transferência do depósito espiritual da crença veneranda. Em todos os setores, onde a sementeira do Cristo desabrocha, é possível honrar a divina Lei, gravando-lhe os parágrafos sublimes no coração. O que se pede do vosso espírito de crença é o aproveitamento das bênçãos celestiais esparzidas sobre vós em caudalosas correntes de luz.

"Não limiteis, portanto, a demonstração da confiança no Altíssimo aos cerimoniais do culto externo. Varrei a indiferença que vos enregela as basílicas suntuosas. Convertamo-nos em verdadeiros irmãos uns dos outros. Transformemos a igreja no doce lar da família cristã, quaisquer que sejam as nossas interpretações. Esqueçamos a falsa afirmativa de que os tempos apostólicos passaram para sempre. Cada aprendiz do Evangelho guarda, na própria vida, um reduto destinado ao culto vivo do divino Mestre, perante o qual escoa a multidão dos necessitados, todos os dias...

"Amando e socorrendo, crendo e agindo, Jesus amparou a mente desequilibrada do mundo greco-romano, infundindo-lhe vida nova, em favor da Humanidade mais feliz. Assim, igualmente, cada discípulo da fé redentora pode e deve cooperar no reerguimento dos irmãos frágeis e vacilantes.

"Fugi ao farisaísmo dos tempos modernos que se recusa ao auxílio fraternal, em nome do gênio satânico do cisma dogmático. Jesus nunca foi pregador da desarmonia, jamais endossou a vaidade petulante dos que pelos lábios se declaram puros, mantendo o coração atascado no lodo miasmático do orgulho e do egoísmo fatais!

15.9   "Mobilizemos nossa confiança no Todo-Misericordioso, dilatando-lhe o reino bendito de redenção.

"Aguardar o Céu, menosprezando a Terra, é obra de insensatez.

"Nenhum de nós peitará a Justiça divina, embora permaneçais cultivando, muitas vezes, a ideia de um comércio ridículo com a divindade.

"Se um lavrador jamais é postado sem obrigações diretas diante do matagal inculto ou do pântano perigoso, como permanecer sem deveres imediatos junto às paisagens de crime e treva, de inquietação e sofrimento?!...

"O irmão caído é nossa carga preciosa, a dificuldade é nosso incentivo santo, a dor é nossa escola purificadora.

"Abracemo-nos, pois, uns aos outros, em nome do Cordeiro de Deus, que nos reformou a mente, alçando-a a planos superiores pela ascensão gloriosa, por meio do sacrifício.

"Somente assim, meus amigos, é possível atender à elevada destinação que nos cabe.

"Diante do mundo periclitante, alucinado por ambições rasteiras e dominado pelo ódio e pela miséria, sequências das guerras incessantes e aniquiladoras, harmonizemo-nos em Jesus Cristo, a fim de equilibrarmos a esfera carnal.

"Sombras perturbadoras vagueiam em torno de vossos passos e de vossas instituições, em ronda sinistra.

"Evitai a subversão dos valores espirituais, afugentai as trevas que vos ameaçam as organizações político-religiosas. Temei a ciência que estadeie sem a sabedoria, livrai-vos do raciocínio que calcula sem amor, revisai a fé para que seus impulsos não se desordenem, à míngua de edificação.

"A crosta da Terra é atualmente um campo de batalha mais áspera, mais dolorosa...

"Despertai a consciência adormecida e afeiçoai-vos à Lei divina, olvidando o cativeiro multissecular da ilusão.

15. "A salvação é contínuo trabalho de renovação e de aprimoramento.

"Ao mundo atormentado proclamemos a nossa fé em Cristo Jesus para sempre!..."

Eusébio, ao terminar, estava aureolado de prodigiosas emissões de luz.

A assembleia prosternada mostrava semblantes lívidos de estupefação.

Enorme grupo de colaboradores de nosso plano elevou a voz em harmonias, entoando comovente cântico de glorificação ao supremo Senhor.

As melodiosas notas do hino perdiam-se, ao longe, no arvoredo distante, nas asas de suave brisa...

Terminados os serviços da reunião, reparei que os amigos encarnados, sob o amparo de colegas das nossas atividades socorristas, não se afastaram animados e otimistas, porque muitos deles, compreendendo, talvez com mais clareza, fora do veículo denso da experiência física, os erros da crença transviada, se retiravam cabisbaixos, soluçando...

16
Alienados mentais

16.1   Antes de visitarmos as cavernas de sofrimento, Calderaro instou-me a fazer com ele rápida visita a grande instituto consagrado ao recolhimento de alienados mentais, na esfera da crosta.

— Compreenderás, então, mais exatamente — explicou generoso, dirigindo-se a mim com a delicadeza que lhe é peculiar — a tragédia dos homens desencarnados em pleno desequilíbrio das sensações. Excetuados os casos puramente orgânicos, o louco é alguém que procurou forçar a libertação do aprendizado terrestre, por indisciplina ou ignorância. Temos neste domínio um gênero de suicídio habilmente dissimulado, a autoeliminação da harmonia mental, pela inconformação da alma nos quadros de luta que a existência humana apresenta. Diante da dor, do obstáculo ou da morte, milhares de pessoas capitulam, entregando-se, sem resistência, à perturbação destruidora, que lhes abre, por fim, as portas do túmulo. A princípio, são meros descontentes e desesperados, que passam despercebidos mesmo àqueles que os acompanham de mais perto. Pouco a pouco, no entanto, transformam-se em doentes mentais de variadas gradações, de cura quase impossível, portadores que são de problemas inextricáveis e ingratos. Imperceptíveis frutos da desobediência, começam por arruinar o patrimônio fisiológico que lhes foi confiado na crosta da Terra e acabam empobrecidos e infortunados. Aflitos e semimortos, são eles homens e mulheres que desde os círculos terrenos padecem, encovados em precipícios infernais, por se haverem rebelado aos desígnios divinos, preterindo-os, na escola benéfica da luta aperfeiçoadora, pelos caprichos insensatos.

Guardando carinhosamente a observação, acompanhei-o na excursão matinal ao grande estabelecimento, onde os mentecaptos eram em grande número.

No primeiro pátio que topamos, compacta era a quantidade de mulheres desequilibradas que palestravam.

Uma velha de cabelos nevados, mostrando acerba ferocidade no olhar, envergava o uniforme da casa, como quem arrastasse um vestido real, e dizia a duas companheiras apáticas:

— Na minha qualidade de marquesa, não tolero a intromissão de médicos inconscientes. Creio estar presa por motivos secretos de família, que averiguarei na primeira oportunidade. Tenho poderosos inimigos na corte; contudo, as minhas amizades são mais prestigiosas e fiéis.

Baixou a voz, como receando espias ocultos, e falou ao ouvido de uma das irmãs de sofrimento:

— O imperador está interessado em meu caso e punirá os culpados. Segregaram-me por miseráveis questões de dinheiro.

Elevando o diapasão, inesperadamente, bradou:

— Todos pagarão! Todos pagarão!

E continuava explicando-se com gestos de grande senhora.

Compungia-me observar a promiscuidade entre as enfermas encarnadas e as entidades infelizes, que ali se acotovelavam. Preso ainda ao meu antigo vezo de curiosidade, tentei estacar, a fim de ouvir a demente até ao fim, mas o assistente deu-se pressa em considerar:

16.3 — Não nos detenhamos. Infelizmente, atravessamos vasta galeria de padecimento expiatório, onde nossos recursos socorristas não ofereceriam vantagens imediatas. Aqui, quase todos os alienados são criaturas que abdicaram a realidade, atendo-se a circunstâncias do passado sem mais razão de ser. Essa desventurada irmã já possuiu títulos de nobreza em existência anterior; perpetrou clamorosas faltas, dando expansão às energias cegas do orgulho e da vaidade. Renascendo em aprendizado humilde para o reajustamento imprescindível, alarmou-se ante as primeiras provações mais rudes da correção benfeitora, reagiu contra os resultados da própria sementeira, entregou o invólucro físico ao curso de ocorrências nefastas e, por fim, situou-se mentalmente em zonas mais baixas da personalidade, passando a residir, em pensamento, no pretérito de mentiras brilhantes. Agarrou-se, desesperada, às recordações da marquesa vaidosa de salões que já desapareceram e perambula nos vales da demência em lastimáveis condições.

Não déramos muitos passos, encontramos novo ajuntamento, em que sobressaía curiosa dama, extremamente nervosa.

— Deus me livre de todos, Deus me livre de todos! — gritava inquieta. — Não voltarei! Nunca, nunca!...

Aproxima-se cordata, a enfermeira, e pede:

— Senhora, mais calma! É seu marido que vem à visita. Vamos ao guarda-roupa. E sorrindo:

— Não se sente feliz?

— Jamais! — bradava a demente com espantoso semblante de angústia. — Não quero vê-lo! Odeio-o, odeio, com tudo o que lhe pertence!

Repetindo expressões de desprezo, inteiriçou-se, caindo em lamentável crise de nervos, pelo que a auxiliar da enfermagem houve que requisitar socorro urgente.

Desejei reter-me, a fim de estudar a situação, mas o assistente impediu-mo, esclarecendo:

— Não percas tempo. Não remediarias o mal. Nossa passagem aqui é rápida. Recomendo apenas anotes o refúgio de todos os que se esquecem dos deveres presentes, pretendendo escapar aos imperativos da realidade educadora.

Modificou a inflexão da voz e prosseguiu:

— Não asseguramos que todos os casos do hospício se relacionem exclusivamente com esse fator. Muita gente atravessa este pavoroso túnel, premida por exigências da prova retificadora; é, no entanto, forçoso reconhecer que a maioria encetou o pungitivo drama em si mesma. São irmãos nossos, revoltados ante os desígnios superiores que os conduziram a recapitular ensinamentos difíceis, qual o de se reaproximarem de velhos inimigos por intermédio de laços consanguíneos, ou o de enfrentarem obstáculos aparentemente insuperáveis.

"Para que se efetue a jornada iluminativa do espírito é indispensável deslocar a mente, revolver as ideias, renovar as concepções e modificar, invariavelmente, para o bem maior o modo íntimo de ser, tal qual procedemos com o solo na revivificação da lavoura produtiva ou com qualquer instituto humano em reestruturação para o progresso geral. Negando-se, porém, a alma a receber o auxílio divino, pelos processos de transformação incessante que lhe são oferecidos, em seu benefício próprio, pelas diferentes situações de que os dias se compõem no aprendizado carnal, recolhe-se à margem da estrada, criando paisagens perturbadoras com desejos injustificáveis.

"Quase podemos afirmar que noventa em cem dos casos de loucura, excetuados aqueles que se originam da incursão microbiana sobre a matéria cinzenta, começam nas consequências das faltas graves que praticamos, com a impaciência ou com a tristeza, isto é, por intermédio de atitudes mentais que imprimem deploráveis deflexões[33] ao caminho daqueles que as acolhem e alimentam. Instaladas essas forças desequilibrantes no campo íntimo, inicia-se a desintegração da harmonia mental; esta por vezes perdura, não só numa existência, mas em várias delas, até que o interessado se disponha, com fidelidade, a valer-se das bênçãos divinas que o aljofram, para restabelecer a tranquilidade e a capacidade de renovação que lhe são inerentes à individualidade, em abençoado serviço evolutivo. Pela rebeldia, a alma responsável pode encaminhar-se para muitos crimes, a cujos resultados nefastos se cativa indefinidamente; e, pelo desânimo, é propensa a cair nos despenhadeiros da inércia, com fatal atraso nas edificações que lhe cabe providenciar."

16.5   Nesse ponto dos esclarecimentos, penetrávamos extensa varanda no departamento masculino e logo se nos deparou um homem que decerto se enquadrava entre os esquizofrênicos absolutos. Rodeavam-no algumas entidades de sombrio aspecto. Semelhava-se o doente a perfeito autômato, sob o guante de tais companheiros. Exibia gestos maquinais, e, ao guarda que se aproximava cauteloso, explicou em tom muito sério:

— Venha, seu João. Não tenha receio. Ontem eu era o "leão", mas hoje, sabe o senhor o que eu sou?

Ante o enfermeiro hesitante, concluiu:

— Hoje sou a "bananeira".

Encontraria, eu, sem dúvida, no caso, excelente ensejo de enriquecer experiências, porquanto de pronto reconhecera a entrosagem completa entre a vítima e os obsessores que lhe eram invisíveis. O desditoso era rematado fantoche nas mãos dos algozes tipicamente perversos.

Calderaro, porém, não me permitiu interromper a marcha.

— O processo de desequilíbrio está consumado — informou —, e não encontrarias possibilidade de recompor-lhe,

---

[33] N.E.: Desvios.

em serviço rápido, as energias mentais centralizadas na região inferior. O infeliz vem sendo objeto de práticas hipnóticas de implacáveis perseguidores; acha-se exposto a emissões contínuas de forças que o deprimem e enlouquecem.

— Céus! — exclamei aparvalhado. — Como socorrê-lo?

16.

— Trata-se de um homem — acrescentou o orientador — que em encarnações anteriores abusou do magnetismo pessoal.

Não pude sopitar a objeção que me nasceu espontânea:

— Como? As ciências magnéticas são de ontem...

Calderaro estampou no olhar a condescendência que lhe é característica e retorquiu:

— Acreditas que teriam sido iniciadas com Mesmer?

E, sorridente, ajuntou:

— Se considerássemos o sentido literal do texto, o abuso de magnetismo pessoal teria começado com Eva, no paraíso...

Indicou o enfermo e prosseguiu:

— Em pretérito não muito remoto, nosso imprevidente amigo se excedeu em seu potencial de fascínio, desviando-o para aventuras menos dignas. Várias mulheres que lhe sofreram a ação corrosiva, assestaram contra ele incessantes explosões de ódio doentio e corruptor, extravasamentos que o pobre companheiro merecia em consequência da atividade condenável a que se dedicou por muitos anos. Minado pela reação persistente, minguou-lhe o cabedal de resistência; converteu-se, destarte, em joguete das forças destrutivas, às quais, a bem dizer, voluntariamente se unira, ao abraçar, entusiasta, a declarada prática do mal. Até quando se demorará em tal atitude, não será possível prever. Geralmente, ao delinquirmos, podemos precisar o instante exato de nossa penetração na desarmonia; jamais sabemos, porém, quando soará o momento de abandoná-la. No retorno à estrada reta, através de atoleiros em que chafurdamos, por indiferença e má-fé, não podemos prefixar calendários para a volta:

implicamo-nos em jogos circunstanciais, de que só nos despeamos após doloroso reajustamento...

16.7 Observando-me a admiração, ante a experiência hipnótica que os frios verdugos levavam a efeito, o assistente considerou:

— Não te impressiones. A morte física não modifica de súbito as inteligências votadas ao mal, nem o duelo da luz com a sombra se adstringe aos estreitos círculos carnais.

Logo após, éramos surpreendidos por dois velhinhos atoleimados, a pronunciar frases desconexas.

— O tempo — elucidou o orientador, indicando-os — acaba sempre por denunciar a nossa posição verdadeira. Quando a criatura não haja feito da existência o sacerdócio de trabalho construtivo, que nos cumpre na Terra, os fenômenos senis do corpo são mais tristes para a alma, pois, neste caso, o indivíduo já não domina as conveniências forjadas pelo imediatismo humano, patenteando-se-lhe a fixação da mente nos impulsos inferiores. Milhões de irmãos nossos permanecem, séculos afora, na fase infantil do entendimento, por não se animarem ao esforço de melhoria própria. Enquanto recebem a transitória cooperação de saúde física relativa, das convenções terrenas, das possibilidades financeiras e das variadas impressões passageiras que a existência na crosta planetária oferece aos que passam pela carne, esteiam-se nos títulos de cidadãos que a sociedade lhes confere; logo, porém, que visitados pelo morbo, pela escassez de recursos ou pela decrepitude, revelam a infância espiritual em que jazem: voltam a ser crianças, não obstante a idade provecta manifestada pelo veículo de ossos, por se haverem excessivamente demorado nos sítios superficiais da vida.

A exposição não podia ser mais lógica; todavia, examinando aquele vasto ambiente, onde tantos loucos de ambos os sexos modorravam distantes do realismo do mundo, sem a mais leve perspectiva de desencarnação próxima, pensei nas criaturas que já renascem imperfeitas e perturbadas; nas crianças atrasadas e nos moços em luta com a demência juvenil; nas fobias sem-número que amofinam pessoas respeitáveis e prestativas, e solicitei, então, do instrutor esclarecimentos sobre os quadros de sofrimento desse jaez, que de improviso assaltam os ambientes domésticos mais distintos.

O assistente não se surpreendeu, e observou:

— Estudamos aqui, André, a messe das sementeiras, assim do presente, como do passado. Ponderamos não só a aprendizagem de uma existência efêmera, mas também a romagem da alma nos caminhos infinitos da vida, da vida imperecível que segue sempre, vencendo as imposições e as injunções da forma, purificando-se e santificando-se cada dia. Verificarás, conosco, afligente quadro de padecimentos espirituais, e é provável que aprendas, num hospício humano, algo dos desequilíbrios que afetam a mente desviada das leis universais. Em verdade, na alienação mental começa a "descida da alma às zonas inferiores da morte". Observando o manicômio é possível entender, de certo modo, a loucura dos homens e das mulheres que, aparentemente equilibrados no campo social da crosta terrestre, onde permutam os eternos valores divinos por satisfações ilusórias imediatas, são relegados depois, além do sepulcro, a inominável desespero do sentimento. Quanto às perturbações que acompanham a alma no renascimento ou na infância do corpo, na juventude ou na senilidade, é mister reconhecer que o desequilíbrio começa na inobservância da Lei, como a expiação se inicia no crime. Adotada a conduta em desacordo com a realidade, encontra o espírito, invariavelmente, em todos os círculos no qual se veja, os efeitos da própria ação. Seja nos mecanismos da hereditariedade fisiológica, seja fora de sua influência, a mente, encarnada ou não, revela-se na colheita do que haja semeado, no campo de evolução do esforço comum, no monte da elevação pela prática do sumo bem ou no vale expiatório pelo exercício do mal.

6.9   O assistente, que se dispunha a retirar-se, fitou-me demoradamente e rematou:

— O louco, em geral, considerando-se não só o presente, senão até o passado longínquo, é alguém que aborreceu as bênçãos da experiência humana, preferindo segregar-se nos caprichos mentais; e a entidade espiritual atormentada após a morte é sempre alguém que deliberadamente fugiu às realidades da vida e do Universo, criando regiões purgatórias para si mesmo. Compreendeste?

Fixei o instrutor, reconhecidamente.

Sim, havia entendido. E, ponderando a lição da manhã, segui o orientador, que silente abandonava o campo de observação, a fim de mais tarde nos avistarmos com os benfeitores que visitariam as cavernas, em missão de amor e de paz.

17
No limiar das cavernas

17.1 Reunidos agora, Calderaro e eu, à comissão de trabalho socorrista que operaria nas cavernas de sofrimento, fui surpreendido pela expressão da irmã Cipriana, que chefiava as atividades dessa natureza.

Constituía-se a turma de reduzido número de companheiros: sete ao todo.

Avistando-me ao lado do assistente, perguntou Cipriana com singeleza, feitas as saudações usuais:

— Pretende o irmão André seguir em nossa companhia?

O abnegado amigo respondeu que o próprio instrutor Eusébio lembrara a conveniência de minha visita aos abismos purgatoriais; esclareceu que eu me achava interessado em obter informes da vida nas esferas inferiores, para os relatar aos companheiros encarnados, auxiliando-os na preparação necessária à ciência de bem viver.

A diretora ouviu bondosa e objetou:

— Sim, a sugestão de Eusébio é valiosa, tratando-se de observações preliminares no Baixo Umbral. Como responsável, porém, pelos serviços diretos da expedição, não posso admiti-lo, por enquanto, em todas as particularidades.

Fixou em mim o olhar lúcido e meigo, como a lastimar a impossibilidade, e acrescentou:

— Nosso estimado André não tem o curso de assistência aos sofredores nas sombras espessas.

Afagou-me de leve, com a destra carinhosa, e acrescentou:

— Se nos é indispensável obter difíceis realizações preparatórias, a fim de colhermos o benefício das grandes luzes, é-nos imprescindível a iniciação para ministrarmos esse mesmo benefício nas "grandes trevas".

Ante o meu indisfarçável desapontamento, a veneranda benfeitora continuou:

— No entanto, convenhamos que o nosso irmão não se encontra, junto de nós, sem problemas substanciais a resolver. Cada situação a que somos conduzidos é portadora de ocultos ensinamentos para nosso bem. Os desígnios superiores jamais nos propõem questões de que não necessitemos, na arena das circunstâncias. Se Eusébio foi levado a sugerir esta oportunidade, é que André Luiz tem nestes sítios urgente serviço a prestar. Considerando, porém, as responsabilidades que me cabem, não posso autorizar que nos siga em todos os passos; contudo, convido o irmão Calderaro a permanecer, em companhia do prestimoso aprendiz, no limiar das cavernas, sem descerem conosco; mesmo aí, estudioso que é, ele encontrará inesgotável material de observação, sem necessidade de enfrentar situações embaraçosas, para as quais ainda não se aprestou convenientemente...

Em face da solução apresentada, alegria geral voltou a confortar-nos. Agradeci contente. Calderaro também se manifestou reconhecido. E, no júbilo dos trabalhadores que se regozijam com o ensejo de incessantemente aprender para o bem, seguimos na direção de zona medonhamente sombria.

17.3   Ah! já divisara tremendos precipícios, onde entidades culposas se interpelavam umas às outras em deploráveis atitudes; vira chover faíscas chamejantes do firmamento sobre os vales da revolta; descobrira inúmeras entidades senhoreadas por estranhas alucinações em câmaras retificadoras; mas ali...

Estaríamos acaso alcançando a "selva escura", a que se referira Alighieri[34] no poema imortal?

Laceravam-me o coração as vozes lamentosas dispersas a se evolarem para o céu de fumo! Não, não eram lamentações apenas; à proporção que nos adiantávamos, descendo, modificava-se a gritaria; ouvíamos também gargalhadas, imprecações.

Estacamos em enorme planície pantanosa, onde numerosos grupos de entidades humanas desencarnadas se perdiam de vista, em assombrosa desordem, à maneira de milhares de loucos, separados uns dos outros, ou aos magotes, segundo a espécie de desequilíbrio que lhes era peculiar.

Não me era possível calcular a extensão da várzea imensa, e ainda que houvesse marcos topográficos para tal apreciação, o nevoeiro era demasiado denso para que se pudessem computar distâncias.

Percorremos alguns quilômetros em plano horizontal, e, quando o terreno se inclinou, de novo, abrindo outras perspectivas abismais, irmã Cipriana e os colegas prazenteiramente se despediram de nós, deixando-nos, ao assistente e a mim, com o aviso de que voltariam a buscar-nos dentro de seis horas.

Abraçando-me, a diretora disse gentil:

— Desejo-te, meu amigo, feliz êxito nos estudos. Certo, ao voltarmos, receberemos tuas confortadoras impressões.

Sorri, encantado, a tão generosa demonstração de apreço.

Logo após, Calderaro e eu nos achamos a sós na atra vastidão povoada de habitantes estranhos.

---

[34] N.E.: Dante Alighieri (1265-1321), poeta italiano, autor de *A divina comédia*.

As conversações em torno eram inúmeras e complexas. **17.** Pareceu-me que aquele "povo desencarnado" não se dava conta da própria situação, pelo que me foi possível ajuizar de início.

Enquanto densas turbas de almas torturadas se debatiam em substância viscosa, no solo, onde andávamos, assembleias de Espíritos dementes enxameavam não longe, em intermináveis contendas por interesses mesquinhos.

A paisagem era francamente impressionante pelos característicos infernais que nos circundavam. Notando a displicência de muitos daqueles irmãos infelizes, não sopitei as lucubrações que me surgiam.

Os grupos de infortunados agiam, ali, desconhecendo os padecimentos uns dos outros. Certos grupos volitavam a pequena altura, como bandos de corvos negrejantes, mais escuros que a própria sombra a envolver-nos, ao passo que vastos cardumes de desventurados jaziam chumbados ao solo, quais aves desditosas, de asas partidas... Como explicar tudo isso?

Iniciei meu interrogatório, dirigindo-me ao instrutor:

— Será que estes míseros precitos nos veem?

— Alguns sim, mas não nos ligam maior importância: estão muito preocupados consigo mesmos; abrigaram no coração sentimentos rasteiros, e tardarão em se libertarem deles.

— Toda esta gente permanece, porém, desamparada, entregue a si mesma?

— Não — respondeu Calderaro, paciente —; funcionam, por aqui, inúmeros postos de socorro e variadas escolas, em que muita gente pratica a abnegação. Os padecentes e as personalidades torturadas são atendidas de acordo com as possibilidades de aproveitamento que demonstram.

Estampou complacente expressão no rosto e considerou:

— As regiões inferiores jamais estarão sem enfermeiros e sem mestres, porque uma das maiores alegrias dos céus é a de esvaziar os infernos.

No mundo maior | Capítulo 17

7.5   Vendo bandos de seres a se locomoverem no ar, quase a nos rentear, recordei que em nossa colônia as faculdades de volitação[35] não eram comumente exercidas para não melindrarmos aqueles que as não possuíam desenvolvidas; mas... e ali? Criaturas de baixas condições se moviam nos ares, embora a poucos metros do solo.

Calderaro, porém, explicou:

— Não te surpreendas. A volitação depende, fundamentalmente, da força mental armazenada pela inteligência; importa, contudo, considerar que os voos altíssimos da alma só se fazem possíveis quando à intelectualidade elevada se alia o amor sublime. Há Espíritos perversos com vigorosa capacidade volitiva, apesar de circunscritos a baixas incursões. São donos de imenso poder de raciocínio e manejam certas forças da Natureza, mas sem característicos de sublimação no sentimento, o que lhes impede grandes ascensões. No que se refere, entretanto, às entidades admitidas à nossa colônia espiritual, ainda em grande número incapacitadas de usar tal vantagem, o fenômeno é natural. É mais fácil recolher criaturas de maiores cabedais de amor com reduzida inteligência, e convivermos com elas, no processo evolucionário comum, do que abrigarmos pessoas sumamente intelectuais sem amor aos semelhantes; com estas últimas, a vida em comum, no sentido construtivo, é quase impraticável. Neste capítulo da volitação, portanto, impende observar os ascendentes naturais, levando em conta, com a própria Natureza, que os corvos voam baixo, procurando detritos, enquanto as andorinhas se libram alto, buscando a primavera.

Feito o reparo, perguntei, lembrando-me das injunções terrenas:

---

[35] N.E.: Locomoção pelo ar.

— Mas... e as necessidades de subsistência?

O instrutor não se fez rogado e informou:

— Nada lhes falta quanto às exigências essenciais de socorro e de manutenção, como ocorre num nosocômio[36] da esfera carnal.

O assistente fez breve pausa e prosseguiu:

— Referindo-nos ao manicômio, esclareço agora que minha intenção, ao visitar um hospício em tua companhia, foi justamente o de preparar-te para a excursão que ora efetuamos. Temos aqui, nestas assembleias de incompreensão e dor, infindas fileiras de loucos que voluntariamente se arredaram das realidades da vida. Fixaram a mente nas zonas mais baixas do ser, e, olvidando o sagrado patrimônio da razão, cometeram faltas graves, contraindo pesados débitos.

"Já viste, em nossa organização espiritual de vida coletiva, irmãos sofredores convenientemente amparados; alguns ainda sofrem estranhas perturbações alucinatórias, outros são guardados à maneira de múmias perispiríticas em letargia profunda, aguardando-se-lhes o despertar; outros povoam vastas enfermarias para se reerguerem espiritualmente pouco a pouco... Aqui, no entanto, se congregam verdadeiras tribos de criminosos e delinquentes, atraídos uns aos outros, consoante a natureza de faltas que os identificam. Muitos são inteligentes e, intelectualmente falando, esclarecidos, mas, sem réstia de amor que lhes exalce o coração, erram de obstáculo a obstáculo, de pesadelo a pesadelo... O choque da desencarnação para eles, ainda impermeáveis ao auxílio santificante, pela dureza que lhes assinala os sentimentos, parece galvanizá-los na posição mental em que se encontravam no momento do trânsito entre as duas esferas, e, dessa forma, não é fácil de logo arrancá-los do desequilíbrio a que imprevidentes se precipitaram. Retardam-se, às vezes, anos a fio, obstinando-se

---

[36] N.E.: Hospital.

nos erros a que se habituaram, e, vigorando impulsos inferiores pela incessante permuta de energias uns com os outros, passam, em geral, a viver não só a perturbação própria, mas também o desequilíbrio dos demais companheiros de infortúnio."

17.7   Ante o pandemônio que observávamos, o orientador continuou:

— O Érebo[37] da concepção antiga, a crepitar em eternas chamas de vingança divina, é perigosa ilusão; entretanto, os lugares purgatoriais dos desejos e das ações criminosas, aguardando as almas enodoadas pelos desvarios, constituem realidades lógicas, nas zonas espirituais do mundo. Aqui, os avarentos, os homicidas, os cúpidos e os viciados de todos os matizes se agregam em deplorável situação de cegueira íntima. Formam cordões compactos, inclinando-se mais e mais para os despenhadeiros. Cada qual possui romance horrível, de angustiosos lances. Prisioneiros de si mesmos, cerram o entendimento às revelações da vida e restringem os horizontes mentais, movimentando-se em seu próprio interior, em ação exclusiva, nos impulsos primários, a cultivar o pretérito que deveriam expungir. Melhorando, são assistidos por ativas e abnegadas congregações de socorro que aqui funcionam. Autoridades mais graduadas de nossa esfera, atendendo a imperativos superiores, improvisam tribunais com funções educativas, cujas sentenças, ressumando amor e sabedoria, culminam sempre em determinações de trabalho regenerador, através da reencarnação na crosta terrestre, ou de tarefas laboriosas no seio da Natureza, quando há suficiente compreensão e arrependimento nos interessados que feriram a Lei, ofendendo a si mesmos.

"Deste vastíssimo arsenal de alienação da mente, ensombrada de culpas, sai o maior coeficiente das reencarnações dolorosas

---

[37] N.E.: Inferno.

que povoam os círculos carnais. Daqui, como de outras zonas análogas, seguem para o campo físico, mais denso, milhões de irmãos em provas ríspidas, para que se alijem dos débitos e rearmonizem o íntimo perturbado. Poucos conseguem valer-se da oportunidade terrena, no sentido de restaurar as próprias energias. É sempre fácil fugir ao caminho reto; muito difícil, porém, o retorno..."

Nesse instante aproximou-se de nós enorme e bulhenta colmeia de sofredores. Tratava-se de tenebroso agrupamento de irmãos positivamente loucos. Falavam a esmo, comentando homicídios; rememoravam com palavras cruéis cenas indescritíveis de dor e de perversidade.

Nenhum deles atinou com a nossa presença.

Calderaro, muito sereno, conhecendo-me a curiosidade inveterada, informou:

— Estes infelizes permanecem jungidos uns aos outros em obediência a afinidades quase perfeitas, e são contidos apenas pelas leis vibratórias que os regem. Se quiseres, porém, entrar em relação com a história de alguns deles, sonda a mente individual do tipo que te requeira maior atenção.

Aproveitando um momento em que lhes amainara a rixa, aproximei-me de infortunado irmão, que impressionava pela fácies macilenta.

Sintonizei-me na onda mental que ele oferecia, mas o quadro que vi não me permitiu longa perquirição.

Notei-lhe o motivo que culminara no desvario: assassinara a esposa em pavorosas circunstâncias. Contudo, o mísero não transpirava arrependimento; acariciava o desejo de rever a vítima para supliciá-la, quantas vezes lhe fosse possível.

Que tragédia se ocultava, ali, naquelas tormentosas reminiscências?

Atônito, ergui os olhos para o assistente, em muda interrogação, mas, renteando-nos a fronte, levitava-se pesado grupo de seres monstruosos, fazendo ensurdecedor ruído, e logo esqueci o uxoricida[38] que me prendera a atenção. Calderaro, percebendo-me a perplexidade, explicou:

17.9 — Este bando de Espíritos miseráveis, que se movimentam como lhes é possível, é constituído de antigos negociantes terrenos, cujo exclusivo anseio foi amontoar dinheiro para satisfazer a própria cupidez, sem beneficiar a ninguém. O ouro, que transitoriamente lhes pertencia, jamais serviu para semear a gratidão num só companheiro de jornada humana. Famintos de fortuna fácil, inventaram mil recursos de monopolizar os lucros grandes e pequenos, em nada lhes interessando a paz do próximo. Foram homens de pensamento ágil, sabiam voar mentalmente a longas distâncias, garantindo êxito absoluto às empresas materiais que levavam a termo com finalidade exclusivamente egoística. Não lhes incomodava o sofrimento dos vizinhos, ignoravam as dificuldades alheias, despreocupavam-se do valor do tempo em relação ao aprimoramento da alma. Queriam unicamente acumular vantagens financeiras, e nada mais. Divorciados da caridade, da compreensão e da luz divina, criaram para si mesmos o mito frio e rígido do ouro, fundindo com ele a mente vigorosa e o tacanho coração... Escravizados, agora, à ideia fixa de ganhar sempre, voam pesadamente aqui e acolá, dementados e confundidos, procurando monopólios e lucros que não mais encontrarão.

Condoí-me. Quis deter alguns, confabular com eles fraternalmente, de modo a esclarecê-los; no entanto, o instrutor paralisou-me os braços, murmurando:

— Que fazes? Seria inútil. Impossível é reajustar, num momento, apenas com palavras, tantas mentes em desequilíbrio cruel.

---

[38] N.E.: Homem que matou a própria mulher.

E, impulsionando-me para a frente, concluiu:
— Vamos. Consumirias muitas semanas para conhecer a paisagem de dor que se nos estende à frente, e dispomos apenas de algumas horas.

18
Velha afeição

18.1   Não havíamos atravessado grande distância, quando curiosa assembleia de velhinhos se postou ao nosso lado.

Mostravam todos carantonhas de aspecto lamentável. Esfarrapados, esqueléticos, traziam as mãos cheias de substância lodosa que levavam de quando em quando ao peito, ansiosos, aflitos. Ao menor toque de vento, atracavam-se aos fragmentos de lama, colocando-os de encontro ao coração, demonstrando infinito receio de perdê-los. Entreolhavam-se apavorados, como se temessem desastre próximo. Cochichavam entre si, maliciosos e desconfiados. Às vezes, faziam menção de correr, mas retinham-se no mesmo lugar, entre o medo e a suspeita.

Um deles observou em voz rouquenha:

— Precisamos de alguma saída. Não podemos com delongas. E nossos negócios, nossas casas? Incalculável é a riqueza que descobrimos...

E indicava com ufania os punhados de lodo a escorregar-lhe das mãos aduncas.

— Mas... — prosseguia, pensativo — todo este ouro que temos conosco permanece à mercê de ladrões, nesta miserável charneca. Imprescindível é ganharmos o caminho de volta. Isto aqui assombraria a qualquer.

Escutando a singular personagem, dirigi interrogativo olhar a Calderaro, que me esclareceu atencioso:

— São usurários desencarnados há muitos anos. Desceram a tão profundo grau de apego à fortuna material transitória que se tornaram ineptos ao equilíbrio na zona mental do trabalho digno, por incapazes de acesso ao santuário interno das aspirações superiores. Na crosta da Terra, não enxergavam meios de se ampararem com a ambição moderada e nobre, nem reparavam nos métodos de que usaram para atingir os fins egoísticos. Menosprezavam direitos alheios e escarneciam das aflições dos outros. Armavam verdadeiras ciladas a companheiros incautos, no propósito de sugar-lhes as economias, locupletando-se à custa da ingenuidade e da cega confiança. Tantos sofrimentos difundiram com as suas irrefletidas ações, que a matéria mental das vítimas, em maléficas emissões de vingança e de maldição, lhes impôs etérea couraça ao campo das ideias; assim, atordoadas, fixam-se estas nos delitos do pretérito, transformando-os em autênticos fantasmas da avareza, atormentada pelas miragens de ouro neste deserto de padecimentos. Não podemos predizer quando despertem, dada a situação em que se encontram.

Lamentei-os sinceramente, ao que Calderaro obtemperou:

— Enlouqueceram na paixão de possuir, acabando a sinistra aventura como escravos de monstros mentais de formação indefinível.

Dispunha-me a redarguir, quando um dos anciães alçou a voz no estranho concerto, exclamando:

— Amigos, não seremos vítimas dum pesadelo? Às vezes, chego a supor que estamos equivocados. Há quanto tempo deambulamos fora do lar? Onde estamos? Não teríamos enlouquecido?!...

18.3   Oh! aquela voz! Escutando-a, pavorosa dúvida se apoderou de mim. Quem estaria louco? Interrogava, agora, a mim mesmo. Aquele velho ou eu?

Fixei-lhe os traços. Oh! seria possível? Aquele Espírito desventurado recordava meu avô paterno Cláudio. Afeiçoara-se a mim, desde os meus mais tenros anos. De trato glacial com os outros, afagava-me bastas vezes, acariciando-me a cabeleira infantil com as suas mãos que os anos haviam engelhado. Seus olhos fulguravam quando pousados nos meus, e minha mãe sempre afirmava que só em minha companhia ele se acalmava nas crises nervosas que lhe precederam o fim. Não me lembrava da história dele, com particularidades especiais; entretanto, não ignorava que fizera considerável fortuna em ágios escandalosos, curtindo espinhosa velhice pelo excessivo apego ao dinheiro. Conturbara-se nos últimos tempos do corpo, e via delatores e ladrões em toda a parte. Aflito, meu pai transferira-o para a nossa residência, onde minha mãe o auxiliou a vencer os derradeiros padecimentos.

Num átimo, veio-me à memória seu decesso. Trouxeram-me do colégio, onde fazia o curso secundário, para oscular-lhe as mãos frias, pela última vez. Nunca me esqueci de sua impressionante máscara cadavérica. As mãos recurvadas sobre o peito parecia guardarem, ciosamente, algum tesouro oculto, e nos olhos vítreos, que mãos piedosas não conseguiram cerrar, vagueava o pavor do ignoto, como se o acometessem trágicas visões no Além, para onde fora arrebatado a contragosto.

No curso do tempo, vim a saber que meu avô deixara valioso patrimônio financeiro, que nós, seus parentes, dissipávamos em nababescas fantasias... Tornando ao pretérito, reconheci que vigoroso laço me unia àquele desgraçado que ainda sofria o pesadelo do ouro terrestre, carregando placas de lodo que premia enternecidamente ao coração.

Enquanto as reminiscências me enchiam aquele instante, gritava-lhe um companheiro infeliz:

— Pesadelo? Nunca, nunca! Ó Cláudio, não te sensibilizes tanto!...

Ah! seu nome fora pronunciado. A confirmação estarrecera-me; quis gritar, mas não pude. Compreendendo quanto ocorria em meu íntimo, o prestativo Calderaro amparou-me, assegurando:

— André, já sei de tudo. Entendo agora a significação de tua vinda a estas paragens: irmã Cipriana tinha razão. Não temos tempo a perder. O velho revela-se receptivo. Começou a entender que provavelmente estará em erro, que talvez respire atmosfera de pesadelo cruel. Ajudemo-lo. Urge auxiliar-lhe a visão, para que nos enxergue.

Aflito, segui o dedicado orientador, que passou a aplicar recursos fluídicos sobre os olhos embaciados de meu desditoso ascendente. A entidade, com o providencial afluxo de força, ganhou provisória lucidez e viu-nos, afinal.

— Oh! — gritou perante os colegas aterrados. — Que luz diferente!

E, esfregando os olhos, acrescentou, dirigindo-se a nós:

— Donde vindes? Sois padres?

Certo, aludia às túnicas muito alvas com que nos apresentávamos.

Avancei, lesto, e indaguei:

— Meu amigo, sois Cláudio M..., antigo fazendeiro nas vizinhanças de V...?

— Sim, conheceis-me? Quem sois?

Em atitude de alívio, ajuntou com inflexão comovente:

— Desde muito estou preso nesta região misteriosa, referta de perigos e de monstros, mas abundante de ouro, de muito ouro... Vossa palavra me reanima... Oh! por piedade! Ajudai-me a sair... Quero voltar...

18.5 E, ajoelhado agora, de braços estendidos para mim, repetia:

— Voltar... rever os meus, sentir-me em casa novamente!

Abracei-o compungido e, sem desejar chocá-lo com inoportunas revelações, expliquei-me:

— Cláudio M..., sois vítima de lamentável engano. Vossa casa antiga cerrou-se com os olhos físicos que já desapareceram! Encarcerastes o espírito num sonho vão de mentirosas riquezas. A morte vos arrebatou a alma do domicílio carnal, vai para mais de quarenta anos.

O ancião esbugalhou os olhos angustiados. Não relutou. Desatou em pranto convulso, dilacerando-me as fibras mais íntimas.

— Bem o sinto! — murmurou, inspirando compaixão. — Tenho a cabeça afogueada, incapaz de raciocinar; mas... e o ouro, o ouro que ajuntei com tanto suor?

— Reparai vossas mãos, agora que divina claridade vos bafeja o espírito! O patrimônio, acumulado à custa das dificuldades alheias, converteu-se em lodacentos detritos. Notai!

Meu avô pôs-se a contemplar as massas de lama que sobraçava e gritou aterrorizado. Em seguida, pousando em mim os olhos lacrimosos, considerou:

— Será o castigo? Minha falta para com Ismênia exigia punição...

Como os soluços lhe asfixiassem a garganta, interroguei:

— A quem vos referis?

— À minha irmã, cujos direitos espezinhei.

Sensibilizando-nos intensamente, prosseguiu:

— Sois enviados de Deus, e ouvi-me em confissão. Ao morrer, meu pai confiou-me uma irmã, que não era filha legítima de nossa casa. Minha mãe, dedicada e santa, criou-a com o mesmo infinito desvelo que a mim mesmo. Quando me vi, porém, sozinho, escorracei-a do ambiente doméstico. Provei que não partilhava meus laços consanguíneos, para melhor assenhorear-me da fortuna que meu pai nos legara. A pobrezinha implorou e sofreu; no entanto, releguei-a a miserável destino, cioso da sólida base financeira que havia conseguido. Fiquei rico, multipliquei os cabedais, ganhei sempre...

E, fixando as mãos enodoadas, prosseguia amargurosamente: **18.**

— E agora?!...

Ia consolá-lo, abrir-lhe o coração comovido até às lágrimas; Calderaro, porém, fez-me imperioso gesto, recomendando-me silêncio.

Meu triste antepassado continuou, descortinando-me novos campos ao sentimento:

— Onde viverão meus parentes, cujo futuro me preocupava? Onde rolará o dinheiro que amontoei penosamente, olvidando minha própria alma? Onde respirará minha irmã, a quem despojei de todos os recursos? Por que não me ensinaram, na Terra, que a vida prosseguiria para além do sepulcro? Estarei efetivamente "morto" para o mundo, ou louco e cego? Ah! mísero que sou! Quem me socorrerá?

Alongando os braços ressequidos, suplicava:

— Tende piedade de mim! Meus pais foram levados ao túmulo, há muitos anos, e meus filhos, certamente, me esqueceram... Estou desprezado, sem ninguém. Valei-me, emissários do Eterno! Não abandoneis um ancião traído em suas ambições e propósitos! Agora que me reconheço, tenho medo, muito medo...

Demorando em mim o olhar que grossa cortina de lágrimas ensombrava, observou:

— Meus familiares olvidaram-me o devotamento. Só uma pessoa no mundo se recordará de mim e me estenderia mãos protetoras se soubesse do meu paradeiro...

18.7   Estampou expressão de ternura na máscara dolorosa e esclareceu:

— Meu neto André Luiz era a luz de meus olhos. Muita vez, os carinhos dele me aquietavam o torturado pensamento. Em muitas ocasiões manifestei, em casa, o desejo de que ele se consagrasse à Medicina. Destinei-lhe um legado para esse fim. Pretendia vê-lo fazendo o bem que eu, homem ignorante, não soubera praticar. Frequentemente me assaltava o remorso pela extorsão que infligira a minha irmã; contudo, consolava-me com a ideia de que o neto do meu coração, de algum modo, gastaria o dinheiro que eu indebitamente aferrolhara, educando-se, como convinha, para benefício de todos... Seria o benfeitor dos pobres e dos doentes, espargiria sementes dadivosas onde minha existência inútil espalhara pedras e espinhos de insensatez. Meu neto seria belo, querido, respeitado...

Enxugando as copiosas lágrimas, indagava em voz súplice, com a atenção presa a meus gestos:

— Quem sabe se vós, mensageiro de Deus, poderíeis levar a meu neto a tremenda notícia dos males que me devoram? Não mereço o afastamento destas masmorras em que enlouqueci, mas ser-me-á consolo saber que André tem ciência dos meus padecimentos!

Ah! não mais valeram sinais do assistente Calderaro para que me contivesse, esperando ainda mais. Meu peito como que rebentara numa torrente de pranto irreprimível. Ali, não me achava ante assembleias superiores, cujas emissões de energia me sustentassem até ao fim no combate educativo da autodisciplina, mas diante dos deploráveis remanescentes das paixões terrestres. Lembrei-me do meu avô, acariciando-me os cabelos; recordei que meu genitor sempre aludia aos desejos do velho, com referência à minha preparação acadêmica... Pensei nos longos anos que o mísero teria gasto, ali, agarrado às ideias de posse financeira; compreendi a extensão de meu débito para com ele, relativamente ao diploma de médico que eu não soubera honrar no mundo... Dirigi súplice olhar a Calderaro, rogando-lhe me perdoasse...

O assistente sorriu e entendeu tudo.

Quem terá perdido, de todo, a expressão infantil, se o próprio Cristo, supremo Guia da Terra, abriu tenros braços, um dia, no berço da manjedoura?

Tornando mentalmente a cenários da infância longínqua, senti-me novamente menino; venci de um salto o espaço que nos separava e ajoelhei-me aos pés do meu desventurado benfeitor, que me observava, agora, trêmulo e assustado. Cobri-lhe as mãos de beijos e, erguendo para ele os olhos lacrimosos, perguntei:

— Vovô Cláudio, pois o senhor não me conhece mais?

Impossível seria descrever o que se passou.

Esqueci, por momentos, os estudos que me impusera a fazer; olvidei os quadros daquele ambiente, que provocavam curiosidade e pavor. Meu espírito respirava o reconhecimento sincero e o amor puro; e, enquanto as míseras entidades emuradas na usura gritavam, revoltadas, umas, e riam outras à sorrelfa, incapazes de compreender a cena improvisada, eu, amparado por Calderaro, que também enxugava lágrimas discretas, diante da comoção que me assaltara, sustentei meu avô nos braços, como se transportara, louco de alegria, precioso fardo que me era doce e leve ao coração.

19
Reaproximação

19.1   Quando Cipriana regressou, em companhia dos demais amigos, encontrou-me banhado em lágrimas e ouviu a estranha narrativa de meu avô semilúcido. Esboçou complacente gesto e disse bondosa:

— Sabia, André, que não terias vindo para nenhum resultado.

Em rápidos minutos descrevi-lhe a ocorrência, prestando-lhe todos os informes sobre o passado.

A diretora ponderou, serena, a minha digressão através do pretérito e obtemperou:

— Dispomos de tempo curto, e, como não será possível ao doente acompanhar-nos, cumpre interná-lo já em algum recolhimento, aqui mesmo.

Meu avô, malgrado o júbilo de me haver reconhecido, não guardava razoável equilíbrio: pronunciava frases desconexas, em que o nome de Ismênia era repetido a cada passo.

— Não podemos esquecer — acentuou a venerável instrutora — que o irmão Cláudio precisa de tratamento e de cuidado.

É impossível prever quando se achará em condições de respirar atmosfera mais elevada.

Assim dizendo, generosa e meiga, auscultou o velhinho semilouco, examinando-o maternalmente.

Decorridos alguns instantes, informou:

— André, nosso enfermo, para melhorar com mais rapidez e eficiência, deveria retornar à experiência carnal.

— Neste caso, então — disse eu, humilde — poderíamos merecer seu auxílio, irmã?

— Como não? Tratando-se de reencarnação por meras atividades reparadoras, sem projeção nos interesses coletivos, de modo mais amplo, nosso concurso pessoal pode ser mais decisivo e imediato. Temos nestes sítios grande número de benfeitores providenciando reencarnações em grande escala nos círculos regenerativos. Vejamos como estudar a situação futura deste irmão.

Submeteu o doente a carinhoso interrogatório.

O ancião, comovido, contou que seu genitor, ao se casar, conduziu para o lar uma filha de sua mocidade turbulenta, a qual a mãezinha acolhera com doçura. Essa irmã lhe fora, mais tarde, ama desvelada, tornando-se-lhe credora de justa gratidão. Todavia, enceguecido pelo propósito inferior de possuir dinheiro desmedidamente, despojou-a dos bens que lhe cabiam, por ocasião do falecimento dos pais, que, vitimados por febre maligna, o haviam deixado em vésperas de casamento. Ismênia, espoliada, depois de chorar e reclamar debalde, foi compelida a homiziar-se em residência de família abastada, que lhe cedeu, por favor, um lugar de copeira com remuneração desprezível. Soube que, premida por dificuldades materiais de toda a sorte, desposara um analfabeto, homem rude e cruel, que a seviciara e lhe dera algumas filhas em dolorosas condições de miserabilidade. Exposto o desvio máximo de seu caminho, passou a comentar os indignos ideais que nutria no terreno da sovinice, estremecendo-nos os corações.

9.3   Cipriana, demonstrando-se habituada aos problemas daquela natureza, esclareceu-me:

— Já conhecemos dois pontos essenciais para os serviços que lhe competem: a necessidade da reaproximação com Ismênia, que não sabemos onde se encontra, se encarnada ou não, e o imperativo da pobreza extrema, com trabalho intensivo, para que reeduque as próprias aspirações.

De posse do endereço provável dos descendentes da irmã outrora espezinhada, Cipriana recomendou a dois companheiros nossos se encarregassem de rápida investigação na crosta terrestre, a fim de nos orientarmos quanto aos rumos a tomar no imprevisto acontecimento.

Os emissários não se demoraram mais do que noventa minutos.

Traziam boas-novas, que me reconfortavam.

Localizaram a família a que o desditoso velhinho se referira em suas amargas reminiscências e traziam sensacional informação. Amigos de nossa esfera esclareceram-nos quanto a Ismênia, que ela reencarnara e vivia na fase juvenil das forças físicas. Corporificara-se no mesmo tronco doméstico a que emprestara colaboração na época em que meu avô a expulsara do campo familiar.

Cipriana tudo ouviu, sensibilizada, e, interessando-se por nós, sugeriu organizássemos as bases da futura experiência, conquistando, sem delongas, as simpatias da jovem.

A esse tempo, já nos achávamos portas adentro de uma organização socorrista, que recebeu a solicitação de nossa diretora em favor do enfermo, com excelente disposição de servir-nos.

Cercando de todas as atenções meu antigo credor, a estimada benfeitora frisou, dirigindo-se a mim:

— Nosso amigo, durante dois anos aproximadamente, não poderá ausentar-se desta casa de assistência fraterna. Permanece ainda profundamente identificado com a atmosfera destes sítios. Visitá-lo-emos seguidamente, amparando-o com os nossos recursos, até que possa respirar de novo os ares da crosta. É de notar que a mente dele não se libertará das teias da incompreensão com facilidade, e, neste estado, não volveria com êxito ao educandário da carne.

Acatei a ponderação, acompanhando o curso das providências para o caso.

Cipriana contemplou, enternecida, a entidade demente e prosseguiu bondosa:

— Agora, André, finalizando nossos trabalhos da semana, tentemos trazer Ismênia até aqui, para os trabalhos preparatórios de reaproximação. Achando-se presentemente na juventude terrestre, provavelmente nos auxiliará no momento preciso, recebendo o irmão perturbado em seu próprio instituto doméstico. Antes de mais nada, porém, necessitamos da simpatia dela, em face do nosso programa de reerguimento.

— Se Ismênia aceitar, se consentir... — acrescentei hesitante.

— Encarregar-nos-emos do resto — prometeu a interlocutora, decidida —; o retorno de Cláudio à esfera física terá característicos muito pessoais, sem reflexos de maior importância no espírito coletivo, pelo que nós mesmos poderemos providenciar quase tudo.

Confiando o enfermo aos beneméritos companheiros que velavam na casa de amor cristão em que nos asiláramos, dirigimo-nos para o Rio de Janeiro, onde Ismênia seria encontrada por nós em modesto lar de Bangu.

Em plena madrugada, entramos, respeitosos, na humilde residência.

A irmã de meu avô era agora a sexta filha daquela senhora que, na existência física, era conhecida por neta da velha Ismênia, cuja personalidade, para a família terrena, se perdera no tempo, e que não era outra senão a menina e moça, sob nossos olhos, de volta às tarefas aperfeiçoadoras da luta carnal.

19.5   Tudo ali respirava pobreza digna e adorável simplicidade.

Adiantando-se, Cipriana colocou a destra sobre a fronte da jovem adormecida, como a chamá-la até nós. Efetivamente, decorridos instantes, veio ter conosco e, reparando que nossa orientadora, envolta em luz intensa, a cobria com um gesto de bênção, ajoelhou-se, desligada da matéria, exclamando em lágrimas de júbilo:

— Mãe celestial, quem sou eu para receber a graça de vossa visita? Sou indigna servidora...

Cobriu o rosto com as mãos, sentindo-se talvez ofuscada pela claridade sublime e contendo, a custo, a comoção a estuar-lhe no peito; mas nossa veneranda benfeitora aproximou-se, pousou-lhe as mãos carinhosas na basta cabeleira negra e falou compassiva:

— Minha filha, sou apenas tua irmã, tua amiga... Ouve! Quais são tuas intenções na vida?

Como a jovem erguesse para ela os olhos lacrimosos, acrescentou a nobre mensageira:

— Precisamos de tua colaboração e não desejamos ser amigos inúteis. Em que te podemos servir?

Decorreram pesados instantes de expectação.

— Fala! — acrescentou Cipriana, prestimosa. — Explica-te sem receios...

Voz entrecortada pela comoção, lembrou com ingenuidade juvenil:

— Minha mãe, se eu puder rogar-vos alguma coisa, peço-vos auxílio para Nicanor. Somos noivos há quase dois anos, mas somos pobres. Trabalho na indústria de tecelagem, com salário reduzido, para ajudar à manutenção de nossa casa, e Nicanor é pedreiro... Temos sonhado com a organização de um lar pequeno e modesto, sob a proteção da divina Providência. Poderemos aguardar a aprovação de Deus?

Cipriana estampou na fisionomia suma ternura materna e considerou:

— Como não? Teus desejos são justos e santificantes. Nicanor terá nosso amparo, e tuas esperanças nossa viva contribuição. Esperamos, porém, algo de teu concurso...

— Ah! em que poderia servir-vos, eu, mísera serva que sou?

A diretora não prolongou a conversação, pedindo-lhe tão somente:

— Vem conosco!

Em seguida, com grande surpresa para mim, Cipriana cobriu-lhe o rosto com estreito véu de substância semelhante a gaze, para que lhe não fosse dado ver as impressionantes paisagens que deveríamos atravessar.

Sustentada por nós, dentro em pouco a moça se ajoelhava, curiosa e enternecida, ante meu avô, que, ao enxergá-la, prorrompeu em exclamações em que ressumbrava ansiedade:

— Ismênia! Ismênia! Minha irmã, perdoa-me!...

Afagando-lhe as mãos, torturado, contemplava-lhe o semblante humilde:

— Oh! é ela mesma — insistia, tomado de evidente espanto —, com a mesma tristeza do dia em que a expulsei!... Que fez, porém, para ser hoje mais jovem e mais formosa?

Como a visitante guardasse silêncio, confundida, inquiria aflito:

— Dize, dize que me perdoas, que esquecerás o mal que te fiz!

A essa altura da inopinada entrevista, Cipriana interveio, dirigindo-se a ela, interrogando:

— Nunca soubeste, em família, que tua bisavó teve um irmão...

A jovem não a deixou concluir, perguntando por sua vez:

19.7 — ...que a expulsou de casa?
— Sim.
— Minha mãe já se referiu a esse passado distante — acrescentou melancólica.
— Não o reconheces? — tornou, afável, a benfeitora. — Não te recordas?
Nesse instante, o velhinho interferiu, excitando-lhe a memória:
— Ismênia, Ismênia! Eu sou Cláudio, teu desventurado irmão...
A jovem não sabia como interpretar aquelas evocações, mas nossa diretora, cingindo-lhe os lobos frontais com as mãos, a envolvê-la em abundantes irradiações magnéticas, insistia, meiga, provocando a emersão da memória em seus mais importantes centros perispiríticos:
— Revê o pretérito, minha amiga, para bem servirmos à Obra divina.
Notei, assombrado, que algo de anormal sucedera na mente da jovem, porque seus olhos, dantes doces e tranquilos, se tornaram dilatados e inquietos. Tentou recuar ante a súplice expressão de meu avô, mas a energia de Cipriana a conteve, evitando-lhe a expansão dos impulsos iniciais de medo e de revolta.
— Agora, sim! Lembro-me... — gemeu aterrada.
Nossa instrutora, então, libertou-lhe a fronte e, indicando o enfermo, exclamou em tom comovedor:
— E não tens piedade?
Alguns segundos de expectativa rolaram pesadamente; contudo, o amor, sempre divino na mulher de aspirações elevadas, triunfou no olhar enternecido de Ismênia, que, plenamente modificada, se abraçou ao doente, exclamando:
— Pois és tu, Cláudio? Que te aconteceu?

Traçou o ancião largo comentário de suas penas, referiu-lhe as faltas passadas e falou-lhe, mais lúcido e contente, do conforto que a reaproximação lhe conferia.

Ela conservou-o muito tempo de encontro ao peito, fazendo-o sentir sua imensa ternura, sua dedicação e entendimento sem limites.

Quando pareciam perfeitamente reconciliados, Cipriana abeirou-se dela e considerou:

— Minha amiga, estimaríamos receber a tua promessa de auxiliar nosso irmão Cláudio, em futuro próximo. Cooperarás conosco em favor dele, recebendo-o nos braços abnegados de mãe, se a Lei divina autorizar teu matrimônio?

Reverente, dando-me a conhecer os tesouros de uma existência singela e humilde na Terra, a visitante exclamou:

— Se o Céu me conceder a felicidade de com algo contribuir em benefício de Cláudio, esse benefício será feito a mim mesma; e, se um dia eu receber a ventura conjugal, será nosso primeiro e bem-amado filhinho. De antemão, sei que Nicanor se regozijará com o meu compromisso.

Contemplando, enlevada, o desditoso prisioneiro das sombras, prometia:

— Partilhar-nos-á a vida pobre e honrada, conhecerá as alegrias do pão, filho do suor com a Proteção divina, e olvidará, em nossa companhia, as ilusões que por tanto tempo nos separaram...

Evidenciando deliciosa singeleza de coração, projetava em êxtase:

— Será um pedreiro feliz, como Nicanor! Abençoará a luta digna que atualmente bendizemos!...

Como chorasse, comovida, Cipriana abraçou-a, também tocada no coração e de olhos úmidos, assegurando:

19.9 — Bem-aventurada sejas tu, querida filha, que compreendes conosco o celestial ministério da mulher nobre, sempre disposta à maternidade sublime.

Mais alguns minutos decorreram em salutares entendimentos, e, quando o Sol engrinaldava o horizonte de tonalidades diamantinas, de novo estávamos no modesto aposento de Ismênia, ajudando-a a retomar o aparelho fisiológico e a olvidar a ocorrência que vivera, junto de nós, na esfera do Espírito.

Acordou no veículo pesado, experimentando ignoto júbilo. Tinha a mente refrescada de ideias felizes. Teve a nítida impressão de que tornava de maravilhosa romagem, cujas minúcias não conseguiria precisar. Sem saber como, guardava, naquele instante, certeza de que se casaria e de que Deus lhe reservava ditoso porvir.

Quem poderia definir-nos o reconhecimento e a admiração daquela hora? Meus companheiros abençoaram-na, e eu, por minha vez, despedindo-me dela comovidamente, osculei-lhe a destra minúscula, num beijo silencioso de profunda amizade e de indizível gratidão.

20
No Lar de Cipriana

20.1 Encerrada a semana de estudos que me propusera e guardando valores novos no espírito, acompanhei Calderaro, em pleno crepúsculo, à benemérita fundação nas zonas inferiores, a que o assistente chamara Lar de Cipriana.

Extremamente perplexo ante o problema que me demandava a atenção, qual o do reencontro inesperado com meu avô, não me sobravam, agora, motivos para longas perquirições de ordem filosófico-científica junto à privilegiada cultura do instrutor, prestes a despedir-se.

A pesquisa cedera lugar à meditação; o raciocínio, ao sentimento. Recolhera extenso material referente às manifestações da mente, obtendo valiosas conclusões para definir os desequilíbrios da alma; examinara diversos doentes, com os quais travara relações; identificara moléstias cujas causas se prendiam às mais profundas e menos conhecidas raízes do espírito; entre as novidades, porém, encontrara um enfermo que me transferira da ardente curiosidade intelectual às acuradas reflexões no tangente ao destino e ao ser.

Reconhecia, agora, que, para conseguir a sabedoria com proveito, era indispensável adquirir amor.

Naqueles instantes, calavam em meu ser as perguntas inquietas, sofreadas pelo coração dolorido.

Poderia, em verdade, ter avançado muito no domínio dos conhecimentos novos, conquistado simpatias prestigiosas, renovado as concepções da vida e do Universo, melhorando-as; no entanto, de que me valeriam semelhantes troféus, se me não fosse possível socorrer um benfeitor em dificuldade?

De pensamento fixo na surpreendente questão da hora, cheguei, em companhia de Calderaro, à enorme instituição em que Cipriana administrava o constante benefício de seu devotamento fraternal.

Tratava-se, a meu ver, de casa socorrista diferente de quantas conhecia; parecia grande centro de trabalho propriamente terrestre.

A maioria dos companheiros que aí se agitavam não eram portadores de luminosa expressão, mas típicas personalidades humanas em processo regenerador. Com exceção de Cipriana e dos assessores que lhe compunham o séquito, a comunidade, não pequena, era formada de criaturas evidentemente inferiores: homens e mulheres análogos, no aspecto, aos que povoam os círculos carnais.

Como acontecia habitualmente, Calderaro me veio em auxílio, esclarecendo:

— Irmã Cipriana idealizou este amorável reduto de restauração espiritual e concretizou-o, usando os próprios irmãos sofredores e perturbados que vagueiam nas regiões circunvizinhas.

É claro que não reside sistematicamente aqui; todavia, neste colégio regenerador passa grande parte do tempo, que consagra ao seu ministério santificante nas esferas de baixo nível de evolução. No fundo, a organização funciona sob a vigilância dos próprios companheiros que vão melhorando. Trata-se, pois, de importante escola de reajustamento anímico, de autorreconhecimento e de preparação, para indivíduos de boa vontade. Nossa benemérita amiga iniciou a obra e tornou-se-lhe provedora fidelíssima. Contudo, o instituto é de região inferior para criaturas que desejem melhorar suas condições de existência. Educandário de trânsito, sob a ação direta dos que dele colhem proveito, passou, destarte, a valioso núcleo de instrução e de amparo. Individualidades libertas da carne, em penosas condições íntimas nos setores do conhecimento, aqui recebem precioso concurso, a fim de se readaptarem convenientemente à vida.

20.3 Grupos diversos de mediana condição dirigiam-se para um edifício ao centro da vastíssima organização, no qual adivinhei o templo votado à prece.

Muitos companheiros se encaminhavam céleres, conversando, ao nosso lado. Havia ali tanta gente alegre e tanta gente preocupada, como em qualquer via pública de grande cidade no plano denso; tive a impressão de que visitávamos enorme universidade, situada em clima sombrio.

Embora, quanto ao aspecto, fossem distintos entre si, quer os pequenos, quer os numerosos ajuntamentos de irmãos, que aí se moviam, eram idênticos uns aos outros pela nota viva de esperança, que a todos luzia no olhar percuciente. Quantos se nos deparavam, exibiam atitude iniludível de trabalho e de renovação; ainda mesmo os aleijados e doentes que aí estacionavam, em grande número, mostravam disposições de otimismo transformador.

— A venerável instrutora — prosseguiu, benévolo, o assistente — montou aqui verdadeira oficina de restauração do espírito. Antigos expoentes do orgulho que entre os homens se engrimponavam na vaidade e no crime, depois de bastos anos de purgação, e ao demonstrarem propósitos reedificantes, são recolhidos a esta casa, onde reorganizam sentimentos e cabedais, a caminho do porvir. Daqui, como de outras instituições do mesmo gênero, localizadas em plenas regiões expiatórias, saem inúmeras reencarnações retificadoras. O programa fundamental de Cipriana é o esquecimento do mal com a valorização permanente do bem, à luz da esperança em Deus. A princípio, a organização custou-lhe muitos sacrifícios, em matéria de tempo e de direito, que lhe mereciam os méritos pessoais; no transcurso dos anos, porém, elementos por ela mesma formados passaram a superintender a obra e a conservá-la.

20. Ponderava eu a bondade e a sabedoria daquela estrênua missionária, pronta a todo serviço de colaboração superior, recordando meu próprio caso ante meu demente avô emaranhado nas sombras, quando penetramos o santuário, onde sua voz se faria ouvir na oração. Cercavam-na diversas criaturas que lhe eram conhecidas.

Um cavalheiro, visivelmente confortado, dizia-lhe reverente:

— Seguindo-lhe os conselhos, irmã, não mais senti pesadelos. Renovei minha atitude para com os familiares: passei a cooperar, em vez de combater.

— Agora, sim! — exclamou Cipriana, satisfeita —. O bem duradouro é filho da colaboração fraternal. Você verá quão sensível diferença para sua felicidade se verificará em torno de seus passos.

— Irmã — falou-lhe simpática senhora —, minha situação é outra. Agora, reparo que o mundo não foi edificado para mim, e que me cumpre a obrigação de trabalhar em benefício do mundo.

A respeitável interlocutora estampou bela expressão fisionômica e observou:

— Seu progresso é visível. O esquecimento de nossos caprichos pessoais dilata-nos a compreensão.

20.5   Trêmulo velhinho, com todas as características de recém-desencarnado, dirigiu-se a ela, de olhos rasos d'água.

— Irmã — balbuciou triste —, ainda experimento os antigos achaques. Há instantes em que me sinto cair, perdendo a noção de mim mesmo, para despertar em seguida, aflito...

A orientadora acariciou-o, discreta, encorajando-o:

— É natural. Esteja, porém, convicto de que a situação melhorará. Gastamos, às vezes, anos, armazenando impressões que naturalmente não se esvaem nalguns dias.

Outros companheiros se aproximavam com o evidente intuito de ouvi-la, mas, notando-nos a presença, veio sorridente até nós, informando obsequiosa:

— André, o problema de nosso enfermo já foi providenciado, em todas as particularidades suscetíveis de solução imediata. Cláudio demorar-se-á no recolhimento até que se apresente em condições de mudança para nosso instituto regenerativo. Aqui se preparará convenientemente para o retorno aos círculos carnais. Tudo se processará com a harmonia desejável. Além disto, nossos cooperadores estão instruídos quanto ao auxílio que devemos a Ismênia para a concretização de seus ideais.

Agradeci, confundido e sensibilizado, rendendo graças a Deus. Nosso entendimento não se prolongou. O sinal da oração chamava-nos ao alegre e doce dever.

Cipriana, assumindo a direção da prece, fez-se acompanhar pelos colaboradores diretos que a seguiam no momento.

De alma genuflexa, vi-a de olhos erguidos para o alto, de onde jorrava intensa luz sobre a sua fronte... Do tórax, do cérebro e das mãos brotavam radiosas emissões de força divina, das quais ela se constituía visível intermediária para nós todos.

Alcançados pelos fulgurantes raios que fluíam de esfera superior através de sua personalidade sublime, sentíamo-nos embalados por indizível suavidade...

Harmonioso coro de uma centena de vozes bem afinadas cantou inolvidável hino de louvor ao supremo Pai, arrancando-me copiosas lágrimas.

Logo após, a palavra comovente da instrutora vibrou no ambiente, exorando a proteção do Cristo:

> *Senhor Jesus,*
> *Permanente inspiração de nossos caminhos,*
> *Abre-nos, por misericórdia,*
> *Como sempre,*
> *As portas excelsas*
> *De tua providência incomensurável...*
>
> *Doador da vida,*
> *Acorda-nos a consciência*
> *Para semearmos ressurreição*
> *Nos vales sombrios da morte;*
>
> *Distribuidor do sumo Bem,*
> *Ajuda-nos a combater o Mal*
> *Com as armas do espírito;*
>
> *Príncipe da Paz,*
> *Não nos deixes indiferentes*
> *À discórdia*
> *Que vergasta o coração*
> *De nossos companheiros sofredores;*
>
> *Mestre da Sabedoria,*
> *Afugenta para longe de nós*
> *A sensação de cansaço*
> *À frente dos serviços*

*Que devemos prestar
Aos nossos irmãos ignorantes;*

20.7 *Emissário do Amor divino,
Não nos concedas paz
Enquanto não vencermos
Os monstros da guerra e do ódio,
Cooperando contigo,
Em tua augusta obra terrestre;*

*Pastor da Luz imortal,
Fortalece-nos,
Para que nunca nos intimidemos
Perante as angústias e desesperos das trevas;*

*Distribuidor da Riqueza infinita,
Supre-nos as mãos
Com teus recursos ilimitados,
Para que sejamos úteis
A todos os seres do caminho,
Que ainda se sentem minguados
De teus dons imperecíveis;*

*Embaixador angélico,
Não nos abandones ao desejo
De repousar indebitamente,
E converte-nos
Em teus servidores humildes,
Onde estivermos;*

*Mensageiro da Boa-Nova,
Não permitas*

*Que nossos ouvidos adormeçam
Ao coro dos soluços
Dos que clamam por socorro
Nos círculos do sofrimento;*

*Companheiro da eternidade,
Abençoa-nos as responsabilidades e deveres;
Não nos relegues à imperfeição
De que ainda somos portadores!*

*Dá-nos, amado Jesus, o favor de servir-te
E que o supremo Senhor do Universo te glorifique
Para sempre.
Assim seja!...*

Fizera-se resplandecente o recinto do santuário. Vi, então, através do espesso véu de lágrimas que me assomavam aos olhos, que maravilhosa coroa de brilhantes evanescentes cintilou, por instantes, na cabeça venerável daquela missionária do bem, como se ali fora instantaneamente colocada por mãos invisíveis...

Encerrada a reunião, Cipriana, com admirável simplicidade, veio despedir-se de mim.

Por que não dizer? Tinha meus olhos velados de pranto, desejaria segui-la como filho reconhecido para sempre, tais a sabedoria e o amor que lhe transbordavam do espírito glorificado.

Calderaro foi o primeiro a abraçar-me, fazendo votos de boa viagem, a que não pude responder, sufocado pela intensa comoção. Os demais companheiros saudaram-me enternecidos, e, por fim, Cipriana apertou-me ao peito, beijou-me maternalmente e disse com olhos úmidos:

20.9   — Que o Pai te abençoe. Nunca te esqueça da bondade no desempenho de qualquer obrigação.

E talvez porque me visse tão fundamente sensibilizado, acrescentou:

— Estaremos unidos pelo espírito.

Desvencilhei-me dos seus braços com as saudades do filho, em cujo santuário interior jamais se extingue a chama da gratidão.

De volta, agora, aos trabalhos que me aguardavam, solitário e comovido, aspirei os perfumes da noite clara que se povoava de prodigiosas mensagens dos astros coruscantes. Supliquei mentalmente:

Misericordioso Senhor, digna-te abençoar o verme que eu sou!...

Tive a impressão de que meu coração pulsava túmido dentro do peito. À frente dos meus olhos faiscavam constelações, indicando gloriosos destinos, no futuro infindável...

E ponderando, em silêncio, a grandeza de Deus, verti copioso pranto de júbilo, dando guarida às intraduzíveis sensações que me invadiam a alma, extasiada e feliz sob nova esperança!

Índice geral[39]

A

Aborrível
significado da palavra – 7.8, nota

Aborto
Cecília – 10.3, 10.4
esforço de extração – 10.11
Liana, enfermeira – 10.5

Afinidade
Eulália, médium – 9.9

Aksakof, filósofo
instrutor Calderaro – 9.13, nota

Alienação mental
origem – 7.8
perispírito – 2.6

Alighieri, poeta
selva escura – 17.3, nota

Alma
adestramento – 2.1
adubos – 2.12
asas sublimes – 1.7
cura dos tormentos do sexo – 11.9
doença da * e corpo físico – 8.2
esforço edificante da *
encarnada – 4.10
esquizofrenia e patologia – 12.2
fenômeno epileptoide e
enfermidade – 8.5
flores – 2.12
imortalidade e sobrevivência – 2.8
indecisa – 2.3
início do desequilíbrio – 16.8
libertação – 11.5
medicina – 11.7
Médico Divino – 8.12
moléstia – 3.11
perispírito e * esclarecida – 3.11
sede do sexo – 11.3
tormentos do sexo – 11.9

Amor
poder – 5.10
sexo e multiformes permutas – 11.9
transformação dos corações – 5.7
vaso legítimo da Sabedoria Divina – 2.10

Angelitude
candidatos – 11.12

Animalidade
sofreamento – 2.3
voo espiritual e libertação – 2.11

Animismo
Cérbero – 9.2, nota

---

[39] N.E.: Remete à numeração presente à margem das páginas.

Índice geral

crueldade na utilização da
 tese – 9.2, 9.13
Espiritismo – 9.1
exigência de faculdades
 completas – 9.3
tese – 9.2

Antídio, alcoólatra
 alcoólicos, vampiros – 14.1
 amparo pela enfermidade
  – 14.2, 14.7
 intercessões – 14.6
 nevrose cardíaca – 14.8

Antonina
 desdobramento – 13.5
 Gustavo, noivo – 13.2
 hipnose profunda – 13.4
 história – 13.2
 inquietações do sexo – 13.8
 Márcio, Espírito amigo – 13.5
 Mariana, espírito, mãe – 13.5
 maternidade – 13.2, 13.7
 rebentos da carne – cap.13.10
 recusa da porta estreita – 13.6
 tutora espiritual – 13.8

Armazém divino
 suprimento – 2.11

Arrependimento
 caminho para a regeneração – 3.2
 Céu, regeneração – 3.2

Autoridade
 abusos – 7.5

B

Baixo Umbral
 imagem – 17.1
 irmã Cipriana – 17.1
 observações preliminares – 17.1
 volitação – 17.5, nota

Banquete divino
 compromissos humanos – 2.11

Bem
 conceito de * duradouro – 20.4

Broca, Paul, cirurgião
 André Luiz – 8.11, nota
 enfermidade do centro
  da palavra – 3.10
 gratidão humana – 3.10

C

Calderaro, assistente
 hipnose profunda – 13.4
 Marcelo – 8.1
 objetivo da tarefa – 1.4
 preocupação na tese do
  animismo – 9.2
 psiquiatria iluminada – 1.3
 situação de André Luiz – 1.2

Camilo, verdugo
 ódio – 5.7
 palavras – 5.11
 Pedro, momento de insânia – 5.7
 vingança – 4.12, 5.10

Cândida
 Cipriana – 5.13
 desdobramento de Julieta
  e Paulino – 6.9
 desencarnação – 5.13, 6.1, 6.12, 6.14
 história – 6.4
 Julieta – 6.2

Cárdia
 significado da palavra – 14.5, nota

Caverna de sofrimento
 irmã Cipriana – 17.1
 trabalho socorrista – 17.1

Cecília
 aborto – 10.3, 10.4

Índice geral

conselho de mãe – 10.6
cúmplice de faltas passadas – 10.2
desencarnação – 10.13
história – 10.3
intercessão materna – 10.3
Liana, enfermeira – 10.5
maternidade – 10.2, 10.6
obsessão recíproca – 10.14
processo de loucura – 10.10
processo hemorrágico – 10.12
situação mental – 10.3
verdugo do psiquismo
materno – 10.12

Celita
Pedro, homicida – 5.8

Célula
características – 4.6
esquecimento do passado – 4.6
tipos – 4.5, 4.6

Cérbero
significado da palavra – 9.2, nota

Cérebro
carga de duas vidas simultâneas – 2.1
complexidade – 4.5
conceito – 3.11, 3.12, 4.1-4.15
divisão – 3.9, 4.14
doença em * de Espírito
desencarnado – 3.10
Espírito desencarnado e *
dos anjos – 3.11
esquecimento e deficiência – 2.1
exame comparativo – 3.6, 3.8
manifestação da atividade
espiritual – 3.5
quebra da harmonia – 3.10
química espiritual – 4.6

Céu
arrependimento – 3.2
estado da consciência – 8.5

Charcot, médico
Calderaro – 4.14

Choque biológico
nascimento, morte – 4.10

Choque elétrico
perispírito – 7.8, 8.6

Choque psíquico
causa – 8.10
reação da mente – 8.10

Cipriana, irmã
Calderaro – 4.14, 5.1
Camilo, verdugo – 5.7
Cândida – 5.13
cavernas de sofrimento – 17.1
desdobramento de Julieta
e Paulino – 6.9
drama familiar – 6.6
esquecimento do mal – 20.3
lepra – 5.12
Mãe de Jesus – 5.3
Pedro, homicida – 54.4
prece – 20.5
transfiguração – 5.2

Cláudio M...
desencarnação – 18.5
fazendeiro – 18.4

Compaixão
Justiça divina – 6.9
medida da * de Jesus – 15.1

Compreensão
esquecimento dos caprichos – 20.4

Conceito
André Luiz e mudança – 3.4

Consciência
céu, inferno e estados – 8.5
cristal e crisálida – 3.8
paz interior – 2.12

Índice geral

perispírito e * culpada – 3.11
tribunal – 12.5
voz – 5.5

Consciente
domicílio das conquistas atuais – 3.9
esforço, vontade – 3.9
presente – 3.9

Convulsão epiléptica
causa – 8.12
Marcelo – 8.6

Coração
amor fraternal – 2.11
santuário de claridade divina – 2.2

Corpo espiritual *ver* Perispírito

Corpo físico
ascendência do perispírito – 4.10
Marcelo, epiléptico, e retorno – 8.8
pontos de contato entre perispírito – 4.10

Corpo perispiritual *ver* Perispírito

Córtex
sugestões do presente – 7.7

Crença
erros da * transviada – 15.10

Cristal
crisálida de consciência – 3.8

Cristão
herdeiros – 15.4
símbolo do * de outrora – 15.4

Cristo *ver* Jesus

Cromossomo
genética e harmonia – 11.7

Cruz
imolado na * com ladrões confessos – 15.7

Cura
Marcelo, epiléptico – 8.6
pretensão de * dos loucos – 8.12
trabalhando com Jesus na * dos males – 8.14

D

Deflexão
significado da palavra – 16.4, nota

Desencarnação
choque – 17.6

Deus
consagração de amor e confiança – 6.3
espiritualismo – 2.9
filhos de * e herdeiros dos séculos – 3.8
notas de respeito e gratidão – 1.1
remédios amargos – 10.3
Terra e templo – 2.9

Divina Lei
paraíso, inferno – 3.3

Dor
escola purificadora – 15.9

Doutrina Espírita *ver* Espiritismo

Dualismo
terrível – 2.3
viajores humanos – 2.3

E

Embriaguez
emancipação pelo processo – 14.1

Embrião
expulsão – 10.4
genética e sexo – 11.7

Índice geral

Endocrinologia
lesões do pensamento – 11.7

Enfermidade *ver também* Moléstia
Antídio, alcoólatra – 14.2, 14.7
Paul Broca, cirurgião – 3.10
retificação – 14.2

Epífise
claridade irradiante – 7.12, 8.8, 9.14

Epileptoide
enfermidade da alma e fenômeno – 8.5
remédio mais eficiente – 8.13
retorno ao corpo físico – 8.8
significado da palavra – 8.1, nota

Érebo
significado da palavra – 17.7, nota

Espiritismo
animismo – 9.1
escola cristã – 15.1
Marcelo, epiléptico, e difusão – 8.7
princípios básicos – 2.8

Espírito
ação da mente – 4.10
causa da cegueira – 3.5
concessão ao * santificado – 2.11
jornada iluminativa – 16.4
libertação do * encarnado – 2.10
necessidade de preparação – 1.7
paixão, flagelo – 2.3
regeneração – 7.5
retrocesso – 7.5

Espírito desencarnado
cérebro dos anjos – 3.11
perispírito – 4.9
recordação do passado – 4.10
trabalho de recapitulação – 4.9

Espírito encarnado
esquecimento – 4.10
sono da ilusão – 9.7

Espírito perverso
volitação – 17.5, nota

Espírito vulgar
perispírito – 3.11

Espiritualismo
Deus – 2.9

Espiritualidade Divina
certeza – 2.8

Espiroqueta
significado da palavra – 3.10, nota

Esquecimento
deficiência do cérebro – 2.1
intuição – 2.1
motivo – 4.10

Esquizofrenia
Fabrício, enfermo – 12.1, 12.2
Fisiologia – 12.2
patologia da alma – 12.2
perispírito – 12.2
Psicologia – 12.2

Eulália, médium
afinidade – 9.9
animismo, mistificação inconsciente – 9.9
apelo do comunicante – 9.12
dúvida – 9.14
epífise – 9.14
fé – 9.15

Eusébio, instrutor
André Luiz – 1.2
católicos-romanos, protestantes – 15.1
estudantes do espiritualismo – 1.5
oração – 1.8
perfil – 1.8
socorro espiritual – 1.2

Índice geral

Evangelho
   bases – 15.6
   fiéis ao * e criminosos do
      mundo – 2.4

Evangelização
   dever – 2.10

Evolução
   retardamento no processo – 7.6

Evolutiu
   significado da palavra – 4.10, nota

Existência terrestre
   continuidade – 3.1

Expiação
   início – 16.8
   sofrimento áspero, redentor – 4.9

F

Fabricinho
   ex-pai de Fabrício – 12.10
   neto de Fabrício – 175

Fabrício, esquizofrênico
   desencarnação – 12.8
   esquizofrenia – 12.2
   exame na tela da memória – 12.3
   Fabricinho, neto – 12.9
   história – 12.4
   Inês, esposa – 12.9
   morte digna – 12.7
   neurastenia cerebrocardíaca – 12.2

Família
   transformação da tribo – 11.4

Farisaísmo
   fuga do * moderno – 15.8

Favônio
   significado da palavra – 15.3, nota

Fé
   culto exterior – 15.6
   discípulo da * redentora – 15.8
   fertilização do coração – 2.12
   força que sustenta o espírito – 9.15
   força reguladora das paixões – 15.7
   menor esforço – 15.6
   patrimônio da * religiosa – 15.3
   proclamação da nossa *
      em Jesus – 15.10
   razão iluminada – 2.8
   refazimento do edifício da
      * redentora – 2.10
   remédio mais eficaz – 8.13
   sustento para o Espírito – 9.15

Felicidade
   construção – 11.9

Fenômeno epileptoide
   enfermidade da alma – 8.5

Fenômeno medianímico
   reflexo condicionado – 9.1

Fisiologia
   esquizofrenia – 12.2
   psicologia equilibrada sem
      * harmoniosa – 3.11

Fisiologista
   campo de batalha entre * e
      psicologista – 12.2

Fixação mental
   desequilíbrio – 4.11
   instintos primários – 4.12

Força intercessora
   determinação dos processos
      de ajuda – 7.3

Fortuna material
   Cláudio M... – 18.3-18.5
   desencarnados apegados – 18.2

Índice geral

Freud
  angústia sexual – 11.11
  Psicologia analítica – 11.11

Futuro
  construção do * santificante – 4.11

G

Genética
  harmonia dos cromossomos – 11.7
  sexo do embrião – 11.7

Grabato
  significado da palavra – 6.3, nota

Greve
  indisciplina – 2.12

Guilherme
  Pedro, homicida – 5.9

Gustavo, médico
  Antonina – 13.2
  noivo perjuro – 13.9

H

Harmonia interior
  aquisição espiritual – 2.10

Heliotropismo
  vegetal – 11.12

Hereditariedade fisiológica
  revelação da mente – 16.8

Hipnótico
  utilização – 8.13

Homem
  choques biológicos – 4.10
  distinção entre * e mulher
    na Terra – 11.3
  loucura e harmonia mental – 2.5
  renovação do Espírito e *-pai – 11.4
  sistema nervoso – 3.9
  tendências, faculdades – 4.10

Humanidade
  exigências – 1.7
  força criadora do sexo – 11.4

Humildade
  cultivo da * e do perdão – 5.5

I

Igreja
  transformação da * em
    doce lar – 15.8

Indisciplina
  greves – 2.12

Inês
  esposa de Fabrício – 12.9

Inferno
  estado da consciência – 8.5

Instinto sexual
  responsabilidade, disciplina,
    renúncia – 11.5
  transformação do * na Terra – 11.4

Intuição
  mediunidade e * pura – 9.5
  pensamento fraterno – 2.1

Ismênia
  aprovação da maternidade – 19.9
  desdobramento – 19.4, 19.5
  emersão da memória – 19.7
  irmã de Cláudio M... – 18.5
  Lar de Cipriana – 20.5
  Nicanor, noivo – 19.5
  reencarnação – 19.3, 19.4
  trabalho de reaproximação – 19.4

Índice geral

J

Janet, Pierre, psicólogo
  instrutor Calderaro – 9.13, nota

Jauregg, Wagner
  cura da paralisia – 3.10
  gratidão humana – 3.10

Jesus
  Apostolado renovador – 15.7
  amigos para o Reino do Céu – 15.7
  Calvário e Ressurreição – 2.9
  companheiros de * na cruz – 15.7
  credor divino – 8.14
  ensinamentos – 15.7
  exemplos – 15.7
  fundação da Religião do Amor universal – 15.6
  invocação – 2.9
  Madalena – 15.7
  matrimônio – 11.8
  Médico divino das almas – 8.12
  medida da compaixão – 15.1
  mediunidade – 9.5
  mulher samaritana – 15.7
  pedidos de amor e entendimento – 15.7
  recomendação – 4.3, 8.14
  Religião do Amor Universal – 15.6
  templos de pedra – 15.7
  Zaqueu – 15.7

Julieta
  Cândida – 6.2
  casamento – 10.2
  convite insidioso – 6.5
  desdobramento – 6.9
  encefalite letárgica – 6.7
  gênero de vida – 6.7
  impedimento à prece – 6.7
  loucura – 7.1
  Paulino – 6.3, 6.5
  socorro à organização psíquica – 6.6

Jung, Carl Gustav Jung
  Psicologia Analítica – 11.11, nota

Justiça
  compaixão e * divina – 6.9
  invocação à * vulgar – 8.4

K

Krishaber
  doença – 12.2

L

Lar de Cipriana
  Cláudio M... – 20.5
  escola de reajustamento anímico – 20.2
  fundação nas zonas inferiores – 20.1
  Ismênia – 20.5
  oficina de restauração do Espírito – 20.3
  reencarnações retificadoras – 20.3

Lepra
  significado da palavra – 2.5, nota

Liana, enfermeira
  Cecília – 10.5

Liberdade
  verdadeira – 5.10

Lobo central
  estímulos do futuro – 7.7

Lobo frontal
  centros perispiríticos – 9.16

Lóbulos
  definição – 3.6, nota

Louco
  conceito – 16.1, 16.9
  cura – 8.12

Índice geral

Loucura
  centros perispiríticos – 11.3
  conduta sexual – 11.2
  cura – 16.1
  duração – 16.4
  esquecimento dos deveres presentes – 16.4
  incompreensão sexual – 11.6
  origem – 16.4
  suicídio dissimulado – 16.1

Luiz, André, Espírito
  amor puro – 18.8
  assistente Calderaro – 1.2
  auxílio ao processo desencarnatório – 6.13
  candidatos à luz íntima – 1.6
  cavernas de sofrimento – 17.1
  Cláudio M..., avô – 18.3
  débito de * com Cláudio M... – 18.7
  instrutor Eusébio – 1.2
  limiar das cavernas – 17.2
  mudança de conceito – 3.4
  pensamentos sublimes – 7.12
  primeira sensação – 3.2
  serviço de assistência às cavernas – 2.13
  término da semana de estudos – 20.1
  turma de adestramento – 1.3

Luz
  adiamento na recepção – 3.4
  instrumento do bem e conversão – 2.10
  reencarnação – 2.12

M

M..., Cláudio, usurário
  avô de André Luiz – 18.3
  débito de André Luiz – 18.7
  história – 18.5, 19.2
  Ismênia, irmã – 18.5
  Lar de Cipriana – 20.5
  pontos essenciais na reencarnação – 19.3
  reencarnação reparadora – 19.2, 19.4
  remorso – 18.7
  trabalho de reaproximação – 19.4

Madalena
  apostolado renovador – 15.7
  Jesus – 15.7

Mal
  abandono – 8.14

Marcelo, epiléptico
  causa do choque psíquico – 8.10
  convulsões epilépticas – 8.6, 8.8
  cura – 8.6
  desdobramento – 8.7
  desequilíbrio perispiritual – 8.12
  difusão do Espiritismo – 8.7
  eficácia dos passes – 8.3
  epífise – 8.8
  hábito da oração – 8.6
  justaposição entre *-Espírito e *-forma – 8.8
  médico de si mesmo – 8.6
  passado – 8.4
  prece, atividade espiritual – 8.1
  qualidades receptivas – 8.6
  remédio mais eficiente – 8.13
  remorso – 8.4, 8.10
  retorno ao corpo físico – 8.8
  sinais das convulsões – 8.3
  sistema nervoso – 8.10
  socorro magnético – 8.9
  súplica da reencarnação – 8.5
  utilização de hipnóticos – 8.13

Márcio, Espírito
  amigo de Antonina – 13.5

Mariana, Espírito
  mãe de Antonina – 13.5

Índice geral

Marquinhos
Pedro, homicida – 5.8

Matéria
término da * e começo
    do espírito – 4.6

Materialista
morte, realismo da vida – 15.6

Mau presságio
paixões fulminantes – 2.5

Médico
angústia sexual e serviço – 11.7
morte suave – 7.13

Médico divino das almas *ver* Jesus

Médium
condições exigidas – 9.4
emissão mental do
    comunicante – 9.11
simbologia da ponte – 9.4

Mediunidade
evolução – 9.4
importância – 9.7
intuição pura – 9.5
Jesus e * diferente – 9.5
Moisés – 9.5

Mediunismo
característica – 9.5, 9.9
mediunidade e – 9.5

Memória
esquecimento e restauração – 4.10
Ismênia e emersão – 19.7

Menino paralítico
caso – 7.4-7.13
desagregação do sistema
    nervoso – 8.1

Mente humana
ação da * no perispírito – 4.10

ascensão – 4.13
Ciência, Filosofia, Religião – 7.2
colaboração espiritual – 7.2
desequilíbrio – 2.12
função – 4.5
manancial dos pensamentos – 3.11
Religião e harmonia – 15.7
senhor do corpo – 4.10
tortura – 13.9
transições – 2.10

Mérito
apreciação – 2.9

Mesmer, médico
André Luiz – 8.11, nota

Metrazol
significado da palavra – 8.12, nota

Milagre
sede do * e busca do
    maravilhoso – 2.11

Mistério espiritual
lâmpada do coração – 2.2

Moisés
base da doutrina – 9.5
mediunidade – 9.5

Moléstia *ver também* Enfermidade
moléstia – 3.11

Moloc
Estado Romano – 15.4
significado da palavra – 15.4, nota

Mongolismo
considerações – 7.9, nota

Morte
exercício – 2.1
materialista, * e realismo
    da vida – 15.6

Índice geral

Mulher
celestial ministério da * nobre – 19.9
distinção entre homem e
 * na Terra – 11.3
renovação do Espírito e *-mãe – 11.4

Mulher samaritana
Jesus – 15.7

Murillo, pintor
madona – 5.2, nota

N

Neneco
Pedro – 5.9

Neurastenia cerebrocardíaca
Fabrício, enfermo – 12.2

Nicanor
noivo de Ismênia – 19.5

Nosocômio
significado da palavra – 17.6, nota

Nosso Lar, livro
Marcelo – 8.7, nota

O

Obsessão
Cecília, filho e * recíproca – 10.14

Obstáculo
fuga deliberada – 2.11
oportunidade de crescimento – 2.11

Ociosidade
sugadores da Terra – 2.12

Ódio
Camilo, verdugo – 5.7
considerações – 5.7
duendes – 7.6
poder exterminador – 10.13

Oração
amparo – 7.3
benefícios – 1.11
dístico religioso – 7.3
extermínio de criaturas no
 mundo – 10.13
instrutor Eusébio – 1.7
irmã Cipriana – 20.5
Marcelo e hábito – 8.6
nobre costume – 7.3
socorro espiritual – 7.3

Organismo perispirítico
ver Perispírito

Organização perispiritual
ver Perispírito

Órgão perispiritual *ver* Perispírito

P

Paixão
flagelo do espírito – 2.3
mau presságio e * fulminante – 2.5
represamento da * corrosiva – 2.3

Paulino
casamento – 6.14
desdobramento – 6.9
Julieta – 6.2-6.4

Pavlov, fisiólogo
capacidade mnemônica
 nos animais – 9.3
Marcelo, epiléptico – 8.10
reflexos condicionados –
 8.10, nota; 8.12

Paz interior
consciência – 2.12

Pedro, homicida
Camilo – 5.7
Celita – 5.8

Índice geral

desdobramento – 5.3
estímulo à regeneração – 5.4
Guilherme – 5.9
instintos primários – 4.12
irmã Cipriana – 5.4
Marquinhos – 5.8
Neneco – 5.8
renovação – 5.9
sonho – 5.14
verdugo – 4.13
voz da consciência – 5.4

Pensamento
fixação do * no sexo torturado – 11.9
influência do * sobre o
   perispírito – 7.5
mente humana – 3.11
perispírito e Natureza – 3.11

Perdão
cultivo do * e da humildade – 5.5
força – 7.6

Perispírito
abandono do leme – 8.10
alienação mental – 2.6
ascendência do * sobre o
   corpo físico – 4.10
cadeia intraduzível – 3.11
características – 4.5
causa do desequilíbrio – 4.3
choque elétrico – 7.8, 8.6
densidade – 3.11
Espíritos desencarnados – 4.9
esquizofrenia – 12.2
evolução – 4.10
gênero de vida e densidade – 3.11
influência dos pensamentos – 7.5
lobos frontais – 9.16
mais alta conquista na Terra – 3.11
natureza dos pensamentos – 3.11
ponte para campo superior – 3.11
pontos de contato do
   corpo físico – 4.10

processo evolutivo – 3.8
quebra de harmonia cerebral – 3.10
restrição indispensável – 3.11
sistema nervoso – 4.4, 4.10, 12.6

Piloro
conceito – 14.5, nota

Pinel, médico
André Luiz – 8.11, nota

Plano Divino
interferência – 2.2

Plano mental
modificações – 1.7

Plano Superior
beleza da influência indireta – 6.13

Porta divina
abertura – 2.8

Prece *ver* Oração

Princípio espiritual
origem e evolução – 4.7

Progresso espiritual
esfacelamento – 2.5

Progresso material
homem desatento – 1.7

Psicologia
Carl Gustav Jung e * analítica
   – 11.11, nota
chave da reencarnação e *
   analítica – 11.13
esquizofrenia – 12.2
Freud – 11.11, nota

Psicologia equilibrada
fisiologia harmoniosa – 3.11

Psicologista
campo de batalha entre * e
   fisiologista – 12.2

Índice geral

Psiquiatria
assistente Calderaro e * iluminada – 1.3
estudo da patologia da alma – 12.2
impossibilidade da * sem noções do espírito – 8.11

Puysegur, magnetista
Calderaro – 4.14
sono revelador – 4.14

Q

Qualidade divina
aquisição – 11.4

Química espiritual
cérebro – 4.6
química fisiológica – 4.6

Química fisiológica
química espiritual – 4.6

R

Rábula
significado da palavra – 12.4, nota

Razão
abusos – 7.6
fé – 2.8

Recordação
imagem do carvão – 12.4

Reencarnação
Cláudio M..., e * reparadora – 19.2
dolorosa – 17.7
Lar de Cipriana e * retificadora – 20.3
mente do filho em processo – 10.5
Psicologia analítica e chave – 11.13
quase imediata – 3.2

Reflexo condicionado
fenômenos mediânimicos – 9.1

mistificações inconscientes – 9.1
Pavlov, fisiólogo – 8.10, nota; 8.12

Regeneração
arrependimento – 3.2
estímulo – 5.5

Reino de Deus
fantasia de ingênuos – 2.4
viajores humanos – 2.3

Religião
harmonia da mente humana – 15.7
subdivisão – 7.2
trabalho salvacionista – 2.6

Remorso
sintonia entre devedor e credor – 8.4

Responsabilidade
socorro fraterno – 2.10

Ressurreição
Calvário e * de Jesus – 2.9

Richet, médico
instrutor Calderaro – 9.13, nota

Rochas, De, engenheiro
instrutor Calderaro – 9.13, nota

S

Sepulcro
perispírito – 3.8
vida melhor na passagem – 3.2

Serviço
conceito – 8.14

Sexo
angústias e enigmas – 11.2
Antonina e inquietações – 13.8
aparelhamento de exteriorização – 11.8
cativeiro nos tormentos – 11.9
causas da loucura – 11.2

Índice geral

cura dos tormentos – 11.9
distinção do * na Terra – 11.4
distinção do * no mundo
  espiritual – 11.3
distúrbios nervosos – 11.12
fixação do pensamento no
  * torturado – 11.9
genética e * do embrião – 11.7
Humanidade e força criadora – 11.4
ignorância no campo – 11.3
inquietações – 13.8
multiformes permutas de amor –
  11.9
pensamento no * torturado – 11.9
psiquismo – 11.2
sede – 11.3
tormentos – 11.9

Sistema nervoso
  considerações – 3.9
  contato entre perispírito e
    corpo físico – 4.10
  desagregação – 8.1
  função amortecedora – 4.10
  lembranças do passado – 7.7
  perispírito – 4.3, 4.10, 12.6
  região perispiritual em
    convalescência – 8.10

Sociedade humana
  comportamento – 7.7

Socorro espiritual
  força intercessora – 7.3
  mente humana – 7.2
  prece – 7.3

Sofrimento
  bendito ensejo – 4.9
  óleo da paciência – 5.11
  significado – 5.11

Sono
  libertação – 1.5
  morte – 2.1

Sublimação
  instinto sexual no estado – 11.4

Subconsciente
  hábito, automatismo – 3.9
  impulsos automáticos – 3.9
  passado – 3.9

Suicídio
  loucura e * dissimulado – 16.1

Superconsciência
  equilíbrio sexual – 11.12

Superconsciente
  casa das noções superiores – 3.9
  futuro – 3.9
  ideal, meta superior – 3.9

T

Tarefa
  rejúbilo – 2.11

Terra
  alienação mental – 2.6
  ameaça – 2.5
  distinção entre homem
    e mulher – 11.3
  ociosidade e sugadores – 2.12
  perispírito, mais alta conquista – 3.11
  situação dos apegados à crosta – 3.2
  templo de Deus – 2.9

Trevas humanas
  dissipação – 2.8
  esforço para emersão das
    * para a luz – 2.9

Turma de adestramento
  semana de André Luiz – 1.3

U

Universalismo
  sede – 2.9

Índice geral

Uxoricida
significado da palavra – 17.8, nota

V

Viajor humano
comportamento – 2.2
dualismo – 2.3
Reino de Deus – 2.4

Vida
densidade do perispírito
e gênero – 3.11
dor, sacrifício – 5.11

Vingança
Camilo – 4.12, 5.10
duendes – 7.6

Volitação
armazenamento da força
mental – 17.5
ascendentes naturais – 17.5
condição – 17.5
Espíritos perversos – 17.5
seres monstruosos – 17.8, 17.9
significado da palavra – 17.5, nota

Vontade Suprema
representação – 2.11

Voo espiritual
asas próprias – 2.11
libertação da animalidade – 2.11

Z

Zaqueu
Jesus – 15.7

NO MUNDO MAIOR				
EDIÇÃO	IMPRESSÃO	ANO	TIRAGEM	FORMATO
1	1	1947	15.000	12,5x17,5
2	1	1958	10.000	12,5x17,5
3	1	1960	10.000	12,5x17,5
4	1	1962	10.000	12,5x17,5
5	1	1970	10.000	12,5x17,5
6	1	1973	10.200	12,5x17,5
7	1	1977	10.200	12,5x17,5
8	1	1979	10.200	12,5x17,5
9	1	1981	10.200	12,5x17,5
10	1	1982	10.200	12,5x17,5
11	1	1983	10.200	12,5x17,5
12	1	1984	15.200	12,5x17,5
13	1	1986	20.200	12,5x17,5
14	1	1987	10.200	12,5x17,5
15	1	1988	20.200	12,5x17,5
16	1	1990	25.000	12,5x17,5
17	1	1991	15.000	12,5x17,5

NO MUNDO MAIOR				
EDIÇÃO	IMPRESSÃO	ANO	TIRAGEM	FORMATO
18	1	1993	10.000	12,5x17,5
19	1	1994	20.000	12,5x17,5
20	1	1995	30.000	12,5x17,5
21	1	2000	10.000	12,5x17,5
22	1	2002	10.000	12,5x17,5
23	1	2003	10.000	12,5x17,5
24	1	2005	5.000	12,5x17,5
25	1	2006	6.000	12,5x17,5
26	1	2006	9.000	12,5x17,5
26	2	2008	6.000	12,5x17,5
26	3	2009	8.000	12,5x17,5
26	4	2010	6.000	12,5x17,5
26	5	2010	10.000	12,5x17,5
26	6	2012	6.000	12,5x17,5
27	1	2003	5.000	14x21
27	2	2008	2.000	14x21
27	3	2010	1.000	14x21
27	4	2010	3.000	14x21
28	1	2013	5.000	14x21
28	2	2013	20.000	14x21
28	3	2015	3.500	14x21
28	4	2015	4.000	14x21
28	5	2016	5.000	14x21
28	6	2017	3.000	14x22
28	7	2017	5.500	14x23
28	8	2018	1.800	14x21
28	9	2018	4.000	14X21
28	10	2019	2.300	14X21
28	11	2019	3.200	14X21
28	12	2020	6.500	14X21
28	13	2021	5.500	14X21
28	14	2022	6.500	14X21
28	15	2024	3.000	14x21
28	16	2024	4.500	14x21

FEB editora
Livro espírita para um novo mundo
www.febeditora.com.br
@febeditoraoficial
@febeditora

Conselho Editorial:
Carlos Roberto Campetti
Cirne Ferreira de Araújo
Evandro Noleto Bezerra
Geraldo Campetti Sobrinho – Coord. Editorial
Jorge Godinho Barreto Nery – Presidente
Maria de Lourdes Pereira de Oliveira
Miriam Lúcia Herrera Masotti Dusi

Produção Editorial:
Elizabete de Jesus Moreira

Revisão:
Elizabete de Jesus Moreira
Paula Lopes
Perla Serafim

Capa:
Evelyn Yuri Furuta

Projeto Gráfico e Diagramação:
Rones José Silvano de Lima – instagram.com/bookebooks_designer

Foto de Capa:
http://www.istockphoto.com/ NH
http://www.dreamstime.com/ Harlanov
http://www.dreamstime.com/ Serp

Foto Chico Xavier:
Grupo Espírita Emmanuel (GEEM)

Normalização Técnica:
Biblioteca de Obras Raras e Documentos Patrimoniais do Livro

Esta edição foi impressa pela Plenaprint Gráfica e Editora Ltda., Guarulhos, SP, com tiragem de 5 mil exemplares, todos em formato fechado de 140x210 mm e com mancha de 104x168 mm. Os papéis utilizados foram o Off white bulk 58g/m² para o miolo e o Cartão 250/m² para a capa. O texto principal foi composto em fonte Adobe Garamond Pro 12/15 e os títulos em Adobe Garamond Pro 28/30. Impresso no Brasil. *Presita en Brazilo.*

FSC
www.fsc.org
MISTO
Papel | Apoiando o manejo florestal responsável
FSC® C140275